ディスカヴァー文庫

はるなつふゆと七福神

賽助

JN105438

Discover

目次

第一章　七福神巡られ

目を覚ますと、変なものが見えた。

炬燵《こたつ》の上で何やら小さな物体が動いている。

緑色と水色をしたその物体は、炬燵机に置いている蜜柑《みかん》の上でもぞもぞと動いていた。

薄ぼんやりとした意識の中で、都冬《つふゆ》はそれを「虫かな」と思った。

――嫌だなあ……ゴミの捨て忘れでもあったかな。

正月からもうすでに二週間、今までぐうたらと過ごす中、掃除だけはきちんとしていたつもりだったのだけど。

そこで都冬は、自分がいつの間にか炬燵に突っ伏して眠っていた事に気が付いた。

昨日はたしか……夜中に母親から電話が掛かってきて、いつも通りの小言、正月帰らなかった事に対する苦言、さらには、妹の結婚話をまじえた嫌味のブレンドをこれでもかと味わわされ、電話を切ったあと、口直しだと一人で思い切りお酒を飲んだ
――そこまでは覚えている。

どうやら、ヤケ酒で眠ってしまったようだ。いい年をした女が一人、六畳間の自宅で酔い潰れるなんて、これは誰にも見せられたものじゃない。

まあ、見せる相手もいやしないんだけど、と都冬は自嘲《じちょう》気味に笑い、それから軽く溜め息を吐《つ》いた。同時に、意識のもやが少しずつ晴れていく。

依然として、「何か」が目の前の炬燵の上で蠢《うごめ》いていた。

――眼鏡、眼鏡。

ぼんやりとした意識の中で、都冬は眼鏡を捜した。子供の頃から視力が悪く、眼鏡無しでは様々な物の輪郭がぼやけてしまう。

都冬の家族は一家揃って視力が悪かった。恐らくは遺伝なのだろう。物心が付いた頃に、両親から何の色気もないぐりぐり眼鏡をあてがわれた時には、父と母を呪ったものだ。

眼鏡を捜しながら、そんな事を思い出し、それから机の上に目を凝らす。

――何だろう、これ。虫？

――虫にしては大きい。……というか、隣の蜜柑より大きいぞ。

――まさか、鼠!?

そう判断した途端、都冬は恐怖で大きく息を吸い込んだ。

虫にしろ鼠にしろ、そんな厄介《やっかい》な者たちと同居なんてしたくない。成人女性として、そして独身女性の部屋として、それらとの共同生活を許してはいけない。

都冬は息を殺して、そっと眼鏡を探った。炬燵の上にいるそれらが、物音に驚いてどこかへ行ってしまわないように、じっと見張りながら、ゆっくりと腕だけを周辺へ這《は》わせる。

すると、その小さな物体から、何やらぶつぶつと音が聞こえてきた。

鼠の鳴き声だろうか、と都冬は耳を澄ませる。

「どこにも無いではないか」

「おかしいのう。ありそうな気がしたんじゃが」

都冬はハッと息を呑んだ。鳴き声が日本語に聞こえる。

「これだから当《あ》てに出来んのだ」

「ここまでついて来たくせに、今更言うか」

炬燵の下を探っていた手が眼鏡の縁《ふち》に触る。急いでそれを引き寄せ、机の上を窺《うかが》った。

そこで、都冬は目を見張った。

炬燵の上で蠢いている小さな生き物は、二人の老人だった。

握りこぶし大の老人二人が、お互いの服の襟をつかんで激しく揺すり合っている。その二人の後ろにはさらに小さな鶴と鹿がいて、じっと二人の動向を見守っていた。

これは――夢、かな。

それ以外考えられない。

しかし、随分《ずいぶん》意味不明な夢を見ているものだ。

余りにも訳の分からぬ間抜けな光景に、都冬は再び自嘲するように鼻で笑う。

そして、夢だと思うと、再び眠気が襲ってきた。一つ大きく欠伸《あくび》をし、ベッドに戻るのも億劫《おっくう》だから、床へでも横になろうとしたその時、彼らと視線がぶつかった。

「あっ」と声をあげる二人の小さな老人。

しかし都冬は気にせず、そのまま後方へ倒れこんだ。

どうせ見るなら、もっと景気の良い夢を見たい。好きな殿方の夢とは言わないまでも、老人が暴れている夢なんかではなく、例えば有名企業に入社するとか、誰かに褒められるとか、そんな景気の良い夢を。

再び眠りに落ちようかというその時、都冬の顔に柔らかいものが、ぼん、と落ちてきた。

「うわっ」

驚いて目を開ける。顔の横でころころと蜜柑が転がった。

一体どこから——と視線を天井へ向けると、天井と床の中間くらいに、先ほどの老人二人がふわふわと浮いているのだった。

「目が覚めたかの」緑色の着物を着た老人がそう言った。

「儂《わし》らを無視するとは何事じゃ」水色の着物を着た老人がそう言った。

炬燵の上では、小さな鶴と鹿が、羽を震わせたり首を振ったりしている。

「……何すんのよ！」

いくら夢とは言え、女性の顔に蜜柑を落っことして良いはずがない。ましてや自分はその夢の主《あるじ》なのだ。

都冬は顔の横にある蜜柑をつかむと、浮かんでいる老人たちに向かって投げつけた。

「おわ」と慌てたような声を上げ、老人たちは蜜柑をかわす。部屋の遠くで、ベチャ、と音がした。

「見たか」と水色の老人が横を向く。

「見た」と緑色の老人が目を丸くして頷いた。

「儂らに蜜柑を投げおったぞ」「投げたな」「自分で呼びつけておいて、この無法《むほう》。何たる無礼者か」「まあまあ、そうけんけんするでない。寝ぼけておるのじゃ」

緑色の服を着た老人が、隣で顔を赤くしている老人をなだめている。

何なのだろう、この夢は。そしてこの老人たちは。

夢占いなんて信じてはいないけれど、吉凶《きっきょう》のどちらなのかもまったく分からない。

——夢って、確か、自分の深層心理を象徴しているんだっけ？

だとしたら、これは一体どういう心理の表れなのか……見当も付かなかった。

吉夢《きちむ》ではないだろう。ぶつぶつと文句を言う小さな老人が、顔面に蜜柑を落として

くるなんて、良い事が起こる予兆なはずもない。

つまりこれは、悪夢の類《たぐい》だ。きっと自分は、自分で思う以上に追い込まれていて、

だからこんな夢を見てしまうのだ。

就職も出来ず、良き伴侶《はんりょ》にも出会えず、このままどんどんと年老いていって、ぶつ

くさと小言を呟くだけの寂しい老後を迎える——そんな暗い将来を予兆しているの

かも知れない。

「だからって、なんでまた、謎のジジイが出てくるの……」

都冬はそう言って溜め息を吐いた。出てくるならせめて女性——お婆さんじゃな

いのか。あるいは、ずっと昔に亡くなった祖父だとか。

「おい！　なんじゃと！」

謎のジジイと言われたのが耳に入ったのか、水色の老人が目を見開く。

「寝ぼけておるのじゃって。ほれ、目を覚ませ」

緑色の老人が水色の老人を窘《たしな》める。

「儂らは謎じゃないぞ。儂らの姿をちゃんと見れば分かるじゃろう？」

そう言うと、緑色の老人は手を大きく広げて、左右に振り、くるりと回ると、まるで七五三の子供みたいに自分の格好をこちらに見せた。それに習い、水色の老人も、不承不承《ふしょうぶしょう》と言った感じで手に持っている瓢簞《ひょうたん》と桃をぐいと突き出す。

都冬は寝そべりながら、まじまじと老人たちを見つめた。

緑色の老人は、頭頂部がやけに長く、長い白髭《しろひげ》を生やし、手には長い紙が巻かれた杖を持っている。

片や水色の老人も立派な髭をたくわえていて、怒っているのか、酔っているのか、その顔はやや赤い。水色の服は、中国の歴史映画で見かける導士の服のようだった。そして服と同色の頭巾を被っていた。

どこかで見た事があるような気はするのだけれど、はっきりとした事は何も分からない。

都冬は体を起こし、机の上にいる鶴と鹿を見た。都冬が体を近づけたのが怖かったのか、二匹とも小さく震えている。どこまでも真っ白な鶴と、艶のある黒い鹿。良く出来た置物のようだけれど、小さい体からは力強い生命《せいめい》をちゃんと感じ取れる。そして何よりも、

「かわいい」

「そんな奴らはどうでも良いじゃろ！」水色の老人が声を荒らげた。

「いや、そいつらも判断材料になっとるぞ。儂は鶴でこっちが鹿。これで分かるじゃろう」

緑色の老人はにこやかに言った。

都冬は首を傾《かし》げる。鶴と鹿……ちっとも分からない。

彼らの格好からして、昔話か何かだろうか？　けれど、いくら考えても思い当たる話は出てこない。まさか、鶴の恩返しでは無いだろう。だいたい、あのお話にお爺さんは二人も出てこなかったはずだ。あるいは、この二人のどちらかは、髭のあるお婆さんなのだろうか。

「どうじゃ？」

「いや……うーん」

緑色の老人があまりにも期待に満ちた目をしているので、どうにも気まずくなり、都冬は下を向いた。ちら、と老人たちを見ると、彼らはそれに反応して「ん？」「ん？」と首を動かす。

「……まさか、分からんのか」緑色の老人が都冬の頭上で呟いた。「さっきお参りに来たのに」

「……お参り？」

確かに、都冬は自宅に帰る前、近所の神社に新年のお参りに行った。何とか早々に仕事を見つけられますように、とか、愛しい人と出会えますように、とか、もう少し痩せますように、など、諸々のお願い事をしてきた。けれど、それと一体何の関係が──。

「あっ」

そう言えば、賽銭箱《さいせんばこ》の横に、この緑色の老人に良く似た石像が置いてあった気がする。そして、先ほどのようなにこやかな笑みを湛《たた》えていた気がする。

「まさか」都冬は思い浮かんだ答えを口に出した。「お地蔵さん？」

それを聞いた老人たちは、枯れた木の葉みたいに、へなへなと炬燵の上に降りてきた。

どうやら間違えたらしい。

「お主、何にお参りしているのかも分からず、願い事をだらだらと喋っておったのか」

緑色の老人は蜜柑にへたっと腰掛けながらそう言った。

「願い事？　え？　もしかして神様？」

「呆《あき》れて物も言えん」水色の老人は炬燵の上で胡坐《あぐら》をかいている。

「神様なの？　本当に？」

都冬の問いに、二人とも疲れたように頷いた。

「神様だったら一富士二鷹《いちふじにたか》よりも上よね……。初夢って、三日を過ぎても効力あるんだったかな？」

「……何を言っとるんじゃ、この娘」緑色の老人がぼんやりと口を開く。

「あ、夢じゃと思っとる」「呆れたもんじゃ」「だから儂は賛成せんかったんじゃ」「また言うか」「何度でも言うわ。お主の判断はいつもいつも見当違いじゃ」「この」「何じゃ」

老神たちはさっと立ち上がると、再び互いの襟をつかんで揺すり合った。それを見て、鶴と鹿はぷるぷると震えている。

「もう、やめてよ。年寄りの喧嘩《けんか》なんて、見苦しいんだから」

そう窘《たしな》めると、二人ともキッとこちらを向き、今度は都冬に対し「お前が言うか」「罰当たり者」等々、様々な文句を飛ばしてきた。

「もう、人の夢で暴れないの！　まったく、みっともない」

「もう許さん」

そういきり立った水色の老人は、炬燵の上に置いてあった梅酒ソーダの缶を持ち上げ、都冬の頭にどぼどぼと注いだ。甘い匂いと皮膚のべたべたする感覚があまりにも現実的で、都冬は文句も言う事が出来ず、しばらく口を開けて呆然としていた。

「目が覚めたかの」緑色の老人がそう言った。

開いた口に、頬《ほほ》を伝って梅酒の雫《しずく》が流れ込んできた。

甘酸っぱい――どうやら、夢じゃなかった。

ふと壁を見ると、白い壁に黄色いシミ。床には潰れた蜜柑が転がっていた。


七福神の名前を、普通の人はいくつ挙げられるのだろう。

大黒天《だいこくてん》、弁才天《べんざいてん》、恵比寿《えびす》、布袋《ほてい》。それから——なんだか強そうな神様もいた気がする。都冬がどれだけ考えても、ちゃんと名前が出てくる神様は四柱が限界だった。

それを聞いた二人の小さな老人は、「やはりの」「予想通りじゃの」「少しもがっかりせんの」と、あからさまに落胆した様子で呟いた。

緑色の老人が福禄寿《ふくろくじゅ》。水色の老人が寿老人《じゅろうじん》。

馴染《なじみ》の無い名前を聞きながら、都冬は、自分の顔を叩き、引っ張った。瞼《まぶた》を強く閉じて、パッと開く。しかし、小さな老人は消えない。それどころか、見れば見るほどその存在感が浮き立つようだった。

これは、夢じゃない——けれど、例えばそう、幻覚と言う事もありうる。何かの映画で見たのだけれど、あまりにも追い込まれた人間は、そこから逃避するために、幻の世界に没入してしまう事があるらしい。

もしそうだとしたら、その要因は、やはり、仕事だろう。

去年の十月末《まつ》、都冬は今まで勤めていた会社をクビになり、それから今の今まで再就職できずにいる。クビになった理由は至極簡単で、

「不況だから」

都冬と最後に会話をした管理職の男は、何故か笑顔でそう言った。

張り倒してやりたいと思ったけれど、元来人に暴力など振るった事が無かった都冬は、ただ「はあ」と頷き返すしかなかった。

確かに、その男の言うとおり、現在日本は不況ムード一色だった。国民の期待を一身に背負っていますという顔をした政治家たちが、わけの分からない政策を次々と繰り出した結果、どこのニュースを見ても『日本経済はどん底だ』と言われている。

そんな状況だからか、都冬がせっせと履歴書を書いて応募してみても、手ごたえは全く無かった。面接で蹴られるたびに、自分はこの社会に不必要な人間なのではないかという思いが増してくる。いっそのことお嫁にいければ——などと言う考えもチラと浮かぶのだけれど、残念ながら相手がいない。理想が高い低い云々《うんぬん》ではなく、都冬には純粋に男の知り合いがいなかった。

かと言って、では女友達が多いのかと言えば、そちらもほとんどいなかった。会社を辞めてみると、そこで一緒に働いていた仲間からの連絡はパッタリと来なくなった。それまでは毎日顔を合わせていても、いざ、会社という枠組みから離れてしまえば、そんなものなのだ。もちろん、こちらから率先して連絡する気になんて、なるはずもない。

世界から隔絶されているような、そんな孤独感。自分無しでも世界は回っていて、歯車にもなれない自分の無力さを感じ、何もかもがイヤになる。

これは、不況のせいだ。

そして自分に友人が少ないのも、全ては不況のせいなのだ。

冗談めかしてそう思ってはみるものの、出るのは溜め息ばかりだった。

このままだとマズい。蓄えはまだあるけれど、しかしいずれは無くなる。

追い込まれている。私は、ゆっくりと追い込まれている。

こんな様を肉親に見られるのは辛いので、実家にも帰れない。いつもと変わらぬ母親の小言も、いつも以上に胸に響くのだった。

このまま年月だけを重ねて、三十歳を超えて、田舎の祖母も両親も居なくなってしまった時、自分はどうなってしまうのだろう。

想像するだけで恐ろしかった。だから、なるべく想像しないようにしていた。

鬱々《うつうつ》とした面持《おもも》ちで、都冬は呆然と、炬燵の上で蠢く老人を見た。

老人たちはまだ眉を下げたまましょんぼりとしている。そんな彼らを見て、都冬もまた、大きく溜め息を吐いた。

その息が、炬燵机の上で羽を休めていた小さな動物たちに当たり、動物たちは、ぶるる、と体を揺らす。ためしに人差し指を近づけてみると、小さな鶴はばたばたと逃げ出した。鹿はビクリと震えたものの、恐る恐る指に近付いて、くんくんと匂いを嗅いでいる。その小さな鼻息と、命の息吹が、指先に微かに伝わる。

都冬は、指先からじんわりと解けていくような温かい感覚を味わった。

本当に、これが幻覚なのだろうか。

そもそも自分は、福禄寿と寿老人という神様を今まで知らなかったのだ。ましてや、その神様のお供に鶴と鹿がいるなんて知る由《よし》もなかった。

存在そのものを知らなかったのに、それが幻覚として登場することなんてあるのだろうか。

改めて、目の前の小さな神様を見つめる。老人たちの小さな体からは神様らしき神々しさだとか、威厳めいたものはちっとも感じられない。けれど確かな存在感がそこにはある。

もしかして、本当に神様なんじゃないだろうか。もし本当の神様だったら……。

都冬は、先ほどの自分の行動を思い返す。

神社で神様を呼び出したにもかかわらず、ジジイと呼び捨て、蜜柑を投げつけ、おまけにその存在を知らないと言い放ち、落ち込ませてしまう——これはどう考えても罰当たりだ。

「あ、あの……」都冬は慌てて、深々と頭を下げた。「か、神様とは知らず……その、すみません」

「まあ、慣れっこじゃし」

「別に、ちっとも傷ついてはおらん」

神様たちはぶつぶつと小声で呟いている。言っている内容と、その態度が全く噛み合っていない。

「ええと……」

とにかく、事態を整理しなければ、と都冬は口を開く。

「どうして、お二人が、その……私の所に……？」

現実かも知れない――そう思うと、とたんに都冬の口調はしどろもどろになってしまう。

「お主が儂んとこの神社にお参りに来たからじゃろ」

「なるほど。あのー……あの神社は、お二人のうち、どちらの神社でしょうか」

都冬がそう尋ねると、老神たちもまた、溜め息をついた。

やがて、福禄寿がゆっくりと自分の顔を指差す。

「じゃあ、私が、福禄寿様の神社にお参りに行ったから、こちらに来て下さった……？」

「まあ、簡単に言えばそうじゃが、他にも理由はあるな。例えば、お主はちゃんと名前と住所を言ったろう」

「最近の輩《やから》は名前も住所も言わずに、自分の願い事ばかり言うからのう。それだけじゃ参拝者がどこの誰かなんて、儂らにはさっぱり分からんのに」

寿老人は口角を上げて「きしし」と厭《いや》らしい笑みを浮かべた。

「じゃが、あんたは随分しっかりしとった。一揖《いちゆう》までする人間は滅多におらんぞ」

「あ、それは、祖母が」

今年で八十歳を迎える祖母はとても寛容な人だが、お参りに関しては手抜きを許さなかった。「神様の前でちゃんとせんなら、いつちゃんとする」と、小さな頃、都冬と神社へ出向くたびに祖母はそう叱った。

「いまどき良い婆様じゃ」

福禄寿は真面目な顔で頷いた。いまどきの婆様という響きが面白くて、都冬は思わず笑う。

「それでな、今日ここへ来た理由なんじゃがの」

寿老人はここから本題とばかりに切り出した。

「あっ、まさか……願い事!?」

都冬が身を乗り出し、老神たちは驚いたように少し身を引いた。「そうじゃな。お願いじゃ」

福禄寿が長い頭を揺らして頷く。

「本当に!?」

まさか、神様が願い事を叶えに来てくれるなんて！

都冬は小躍りしそうな心を何とか抑えた。

こういう事があるから、神様という存在が長い間信じ続けられているのかもしれない。何もしてくれない神様なら、きっととっくの昔に廃れてしまっていただろう。

「お主、名は、ええ、何と言うんじゃったっけ」福禄寿の質問を受け、都冬は姿勢を正す。

「はい。榛名《はるな》です」

「はるな。良い名前じゃの。はるなちゃんか」

「あ、それは苗字で……」都冬は少し躊躇《ためら》ったが、言わないわけにもいかず、名を告げる。

「名前は……都冬《つふゆ》です」

「つふゆ？」福禄寿と寿老人の声が重なる。

「はい。都《みやこ》の冬《ふゆ》と書いて、つふゆ」

「言いにくい名前じゃのう。榛名都冬《はるなつふゆ》。ん？　はるなつふゆ？」寿老人の長い頭が少しずつ傾いていく。

「……何事にも飽《あ》きないようにと、祖母が付けてくれました」

「春夏冬！　あきない！」二柱の神様がどっと笑い出した。

名前で笑われるのは慣れているけれど、まさか神様にまで笑われるとは。

「ひぃー。あきない！　ひぃー」

二柱ともお腹を抱えながら、いつまでも空中でもだえている。

いくら何でも笑いすぎじゃないだろうか。神様の癖に、人が気にしている事で笑っても良いのだろうか。

「まさか、飽きない女じゃったとは！」

寿老人は空中で足をばたつかせ、くるくると廻り出した。

「なによ！　二人だって福禄寿とか寿老人とか変な名前だし、どちらにも寿が付いて被ってるし、寿老人様なんて寿を取ったらただの老人じゃない！」

都冬は自分の立場を忘れ、大きな声で悪態を吐き出していた。

「な、なんじゃとう!」

　寿老人は赤い顔をますます紅潮させる。しかし都冬も負けじと睨《にら》み返す。鶴と鹿は都冬が声を上げた時点で蜜柑の陰に隠れてしまった。

「まあまあ、二人とも落ち着かんか。今のは儂らが悪かった。すまんのう。最近あんまり楽しい事がなかったもんでな、つい」

　間《あいだ》に入った福禄寿が頭を下げる。つるりと光る後頭部を見つめ、都冬は我に返った。

「あ、その……すみませんでした」

　深く頭を垂《た》れる都冬に、福禄寿が「うむ」と頷く。

「ほれ、寿老も謝らんか」

「ふん、いやじゃ」寿老人はぷいとそっぽを向いた。まるで子供みたいな神様だ。

　そんな寿老人に、福禄寿は重ねて諭《さと》す。

「願い事をする立場なんじゃから、ちょっとはわきまえんか」

「……え!?　あれ!?」突然の立場逆転に、都冬は思わず素《す》っ頓狂《とんきょう》な声を出してしまう。

「むお、どうしたんじゃ?」

「願い事が、あるの?　神様が……私に?」

「そうじゃ」

「いや、でも私、別段何が出来るというわけではありませんけれど……」

運動は苦手だし、かと言って勉強が出来るわけでも無い。ついでに愛想も無い
――都冬は自分の事をそう自覚していた。他人の願い事を叶えるどころか、両親たっての願いである「孫の顔」も危ぶまれている。してくれそうなので、その点は両親も安心しているみたいではあるが、それすらも都
冬を気落ちさせる一つの要因だった。

「実は、お主に声をかけた理由がもう一つあるんじゃ。今の世の中には、ぱそこんと
いうものがあるじゃろう」

福禄寿はパソコンの「パ」の部分にイントネーションを付けていた。

「パソコン。はい、ありますね」

「参拝《さんぱい》に来た人間の中で、お主が一番ぱそこんに詳しそうだったんじゃ」

「えっ、それってどういう事ですか」

「どういう事と言われても……雰囲気としか言えぬけれど」

パソコンに詳しそうな雰囲気――つまり、美人ではない。

自分の容姿についてある程度の理解はあった。とは言え、面と向かって言われる

と、やはりショックだった。

「でもまあ、この部屋にはぱそこんは無さそうじゃな」

寿老人はざっと部屋を見渡して、何故だか勝ち誇ったように言う。

「パソコンならありますけど」

「なんじゃと」二柱の神様が声を揃える。

「いまどき、持ってない人のほうが珍しいんですから」

負け惜しみのようにそう言いながら、都冬は炬燵の上のノートパソコンを指差した。閉じられたノートパソコンの上で、小さな鶴が羽を休めている。

「こんな薄っぺらなものがぱそこんじゃと？」と寿老人は訝《いぶか》しむ。

「そうですよ」

CPUこそ最新のものではないけれど、ディスプレイも容量も大きく、スリムなデザインをした、使い勝手の良いノートパソコンだ。本当は、昨年秋頃に発売された新型が欲しかったのだけれど、仕事を失ってしまった今は、我慢して正解だったと思っている。

ノートパソコンの上でのんびりと寛いでいた鶴に「ごめんね」と一声掛け、優しく退《ど》かし、都冬はノートパソコンを開いた。

「おお……」と福禄寿が感嘆の声を漏らす。

「変形しおった」

変形って、と都冬は苦笑する。都冬がパソコンの電源を入れると、独特の和音が室内に小さく響き、モニターにロゴマークが現れた。チチチと機械が稼動し、やがてデスクトップが表示される。

そこで、都冬は一旦パソコンを閉じた。

今、画面には男性が表示されているはずだ。それは、都冬が最近熱を上げていた深夜アニメの男性キャラクターで、世間的に見れば、少し露出も激しいかも知れない。自宅に誰を呼ぶことも無かったので、パソコン画面を自分以外が見るとは考えていなかったし、その壁紙にしたことも忘れていた。

都冬は二人の神様たちに視線を送る。幸い、画面を見られてはいなかったようだ。

ノートパソコンのモニターを僅かに開き、屈み込むようにして手早く操作する。何の色気もない真っ青な壁紙に変更されたのを確認した後、ゆっくりとモニターを上げた。

「ほら、これはパソコンです」

平常を装いながら、都冬はノートパソコンを神様たちへと向ける。

「なんとまあ……」

福禄寿はノートパソコンのキーボードの上にふわりと降り立ち、よろよろと歩くと、モニターをペタペタと触った。興味を示したのか、鶴と鹿も周りに集まる。寿老人は少し遠くから、まだ信じていないと言った様子で眺めている。

「ちなみにそれでテレビも見られます」

「なん――じゃと」寿老人もそれには驚いたのか、吸い寄せられるようにゆっくりとノートパソコンに近寄ってきた。

「つふゆは文明開化の権化《ごんげ》じゃの」と福禄寿が声を震わせる。

あまりにも神様たちが驚いているものだから、ただパソコンを持っているだけなのに、何だか得意げな気分になってくる。

「でも、どうしてパソコンが必要なんですか？」

「うむ。それはのう……」モニターをまじまじと眺めていた福禄寿が振り返る。ちら、と寿老人と目を合わせ、ひとつ咳払いをした。

「このぱそこんを使って、儂と寿老の存在をもっと広めて欲しいと思っての」

「お二人の存在を？」

「そうじゃ」福禄寿は大きく頷く。「これを使えばそういう事もできるのじゃろう？」

「お二人は七福神なのだから、充分有名だと思いますけど」

「お主は知らんかったじゃないか」寿老人がぼそりと呟いた。

根に持つ神様だな、と感じつつ、都冬は慌てて言い訳をする。

「わ、私はちょっとそういう事に疎《うと》いから知らなかっただけで、他の人はきっと違います」

すると、福禄寿は首を振った。

「年々参拝客が減っておる。信仰が薄れておるんじゃ」

「夷三郎《えびすさぶろう》や弁天たちの所は、いまだに人気のようじゃがなあ」

寿老人はそう言いながら、瓢箪《ひょうたん》を口元に持っていき、ごくりとやった。「じ、じゃあ――」

都冬は一度唾《つば》を飲み込んでから、意を決して口を開く。

「――お二人の名を広めることが出来たら、私の願い事も叶えてもらえますか？」

「こやつ、神に交換条件を提示しおったぞ」

寿老人が口を尖らせながら笑う。

「地獄の沙汰《さた》も何とやらと言いますし……」

「地獄と申したか！　末恐ろしい」

寿老人はこぼれそうなくらい目を剥《む》いた。

「……どうする寿老。こんな事態は異例じゃ」

福禄寿が顔を寄せる。

「むう」と寿老人は腕組みをして唸る。「呑むべきか……いや、あってはならんことじゃが」

「人間の無信心もここまで来ておったとは、知らなんだ」

自分の発言が大きな物議を醸しているようで、都冬は首をすぼめた。

確かに、神様相手に交渉なんて、いささかバチ当たりな話であったかもしれない。

しかし、もし本当の神様ならば、今の状況を打開するチャンスだ。

都冬も引く訳にはいかない。

しばらく神様たちはこそこそと話し、やがて都冬に向き直った。

「良いじゃろ。元より神と人は持ちつ持たれつ。お主の願い、出来る限り聞いてやろう」

「本当ですか！」

願い事が叶うのならば、これは頑張らないと。　都冬はパソコンを勢い良く自分の方へと引き寄せる。

――でも、どうすれば？　神様の知名度を上げる方法って？

例えば、自分が芸能人などであれば、日記にちょっと書くだけでも宣伝効果はあるだろうけれど、ゼロからブログを始めてもさして効果が得られるとは思えない。

考えろ、考えろ――都冬は頭をひねった。

知名度を上げるためには、なるべく多くの人に見てもらう必要がある。となれば、インターネットを介した広報活動が有効だろう。以前は様々なＳＮＳに会員登録をしてあったのだけれど、会社をクビになってから辞めてしまった。

きっかけは、以前働いていた職場の仲間が、会社の飲み会の写真を投稿していたからだ。

とても楽しそうだった。私なんかが居なくても、何も問題ありませんと言っている気がした。

何もかもが嫌になって、勢いに任せて、現実でも繋がりのあったツイッターのアカウントも消し、今では見る専門のアカウントしか残っていない。だから、拡散能力は著しく低い。

多少気後れを感じつつ、都冬は有名な巨大電子掲示板にアクセスした。「多くの人の目」という単語から、他にそこしか思いつかなかった。

「沢山の文字が出てきたぞ」福禄寿は楽しそうだ。「これは何じゃ？　どうするんじゃ？」

「これは掲示板と言う、誰でも見られて、誰でも書き込める場所です」

「多くの人が見ておるのか」

モニターの光に慣れていないからか、寿老人は目をしぱしぱさせている。

「そうですね。多分、若い人が多いとは思いますけど……」

「それは良い。若者に浸透してこそ七福神じゃ」

福禄寿は満足そうに頷いた。

「ここに一つ、スレッドを立てます。そうすると、そのスレッドでは私が作成した議題についての話し合いがなされます。例えば『ドーナツはとても美味しい』という題名で私がスレッドを立てたら、それに賛同する人や反対する人が各々の意見を書き込むわけです」

「ふむほう」二柱とも小刻みに頷いている。「どーなつ」

「じゃあ、適当に作ってみますね。お二人の魅力みたいなものを教えてください」

「魅力？」「儂らの？」「なんじゃろか」「知らん」

福禄寿は照れ、寿老人はむずかしい顔をしている。

「何でも良いんですよ。お二人の情報みたいなものがあれば」

都冬がそう言うと、しばらくの沈黙の後、ぽつりぽつりと意見が出てきた。

鶴の名前はおつう。鹿の名前はひよどりと言うらしい。

初めに出てきた情報がお供の動物に関するものだった事が少し寂しかったが、都冬はキーボードを叩いた。ときどき、不意にこの掲示板を覗《のぞ》く事はあるけれど、スレッドを作成した事は一度も無い。少し緊張する。

題名：【福禄寿】七福神の二賢【寿老人】
本文：福禄寿と寿老人って、何か良いよね！
　福禄寿は福徳と長寿、寿老人は長寿と幸福の神様。
　連れてる鶴のおつうと鹿のひよどりもかわいいし。

「はい、出来上がりです」

「む？　これだけ？」

「今すぐ参拝に行こう、とか書いた方が良いんじゃないかの？」

「こういうのはシンプルな方が良いんですよ。個人の意見を簡潔に提示するだけに留《とど》めて置くんです。あんまり押し付けがましいと、かえって信用を無くすものですよ。きっと」

「なるほどのう」福禄寿は感心している。

しかし、寿老人の言うとおり、あまりに味気なさ過ぎるかも知れない。もう少し扇情的《せんじょうてき》な文言に変えて、思わずクリックしたくなるタイトルの方が良いだろうか……などと考えながら、都冬は再びキーボードを叩く。

題名：福禄寿と寿老人とか言う二柱の七福神wwwwwwwwwwww

本文：ほんとすこ。福禄寿は福徳と長寿、寿老人は長寿と幸福の神様。

　連れてる鶴のおつうと鹿のひよどりも可愛杉ンゴ。

自分で書いておきながら、あまりに残念な文章過ぎて、都冬は思わず笑ってしまった。ともあれ、これでひとまずは良しとしよう。

モニターに表示されたボタンをクリックして、都冬は一つ息を吐いた。

「いつ返事が来るんじゃ」寿老人は袖口から桃を取り出すと、ひよどりの口元へと持っていった。ひよどりはそれをがぶりと噛み、口をむぐむぐさせている。

鹿って桃を食べるのだっけ？　と都冬は首を傾げながら答えた。

「すぐ返事が来る場合もありますけど……ただ覗くだけで書き込まないっていう人も多いですし、気長に待ちましょう。書き込みが無くても、多くの人の目に留まれば良いわけですから」

「お主、詳しいんだのう」

「まあ、神様がパソコンを持っていそうに見えると判断した女ですからね」

都冬はフフフと自嘲気味に笑った。そんな心情を察するでもなく、神様も動物たちも一緒になって笑っている。都冬は一つ溜め息をついて、開いているページを更新した。すると、先ほど書いた文章の下に、もういくつか書き込みがなされている。

「あ、早速書き込みが」

その言葉に、おっ、おっ、と神様たちがモニターに寄って行く。

『クソスレ乙。このスレッドは早くも終了ですね』

『弁天様＼／＼／越えられない壁＼／＼／ジジイ』

『おつうｗｗひよどりｗｗ捏造すんな』

「これはひどい」都冬は思わず呟いた。

「何が書いてあるのかさっぱりわからん」

福禄寿は首を捻っている。それに合わせておつうも首を傾ける。

「くそすれとはどういう意味じゃ」

「ええと……ゴミのような文章、という意味ですかね」

「なんじゃと」福禄寿が固まった。

「この矢印みたいなのはなんじゃ？　縦に重なったり横に重なったりしておる」

寿老人はモニターに指を指しながら都冬を見つめてきた。

「ああ、それは」都冬は言い淀む。どう説明したものか。

「……縦に重なっているのは、弁天様の方が、お二方よりも上という意味の記号で、次のwは、笑いを表しています。今回の場合は嘲笑です」

「……なんという」

「おつうとひよどりの名前も嘘だと思われてますね」

「本当なのにのう……」福禄寿ががっくりと肩を落とす。

「誰なんじゃ、こんないやな事を書く奴らは！」寿老人の顔がまたもや赤くなった。

「神様でも分からないんですか？」

都冬の質問に、二柱ともこくりと頷いた。

「そうじゃ、つふゆ！　第三者の振りをして、私は福禄寿様と寿老人様を尊敬しています、と書き込むのじゃ！」

寿老人はこれだとばかりに声をあげた。「おおっ」と福禄寿が手を打つ。

「それは駄目です」都冬は首を振る。「第三者の振りをして書き込みをしても、スレッドを作成した人と同一人物である事が、他の人に分かるようになっているんですよ」

「なんと……わしらには分からんのに、こやつらには分かるのか……」

愕然《がくぜん》としている二柱を見て、都冬は焦った。

神様を落ち込ませてしまった。

流石に選択を間違えただろうか。

他に何かやれる事は――。「じゃあ、そうだ。ツイッターを使いましょう」

都冬は開かれているページを閉じ、いそいそとブラウザを起動した。

「これは、誰でも気軽に自分の言葉を呟けるツールです」

「……つまり？」肩を落とす寿老人の横で、福禄寿がかろうじて答えた。

「ここで、私がお二人に関する言葉を発信します。そうすると、その発信された言葉は、人づてにどんどん広がり、私の知らない世界中の人々へと広まっていくわけです」

都冬は自ら取得していたツイッターのアカウントを使う事にした。どうせ、ほとんど使用しなかったアカウントだ。

カタカタと文字を作成し、ボタンを押す。

【拡散希望】本当にありがたい七福神は福禄寿と寿老人だと思う人はRT【お願いします】

「本当に意味あるのかの」と寿老人が呟いた。福禄寿も首を傾げている。

確かに、都冬が使用したアカウントのフォロワーは少ないし、食いつきの良い話題とも思えない。エッチな画像と共に、勝手に書き込みをさせるスパムでも仕込んでおけば、効果は覿面《てきめん》なのだろうけれど、流石さすがにそんなスキルは持ち合わせていなかった。

「これは一応です。これの他に、お二人のブログを立ち上げます」

「ぶろぐ？」

「インターネット上に掲載する日記の事ですよ。今は誰もがブロガーですからね。お二人の魅力などを綴《つづ》って読み手に楽しんでもらえれば、きっと知名度もグッとあがりますよ！」

「そうかのう」

「そうですって！」根拠はありませんけど、と都冬は心の中で付け足した。

早速、都冬はブログのアドレスを取得する。しかし、一体どのような日記を書けばいいのか、皆目《かいもく》見当が付かない。とりあえず二柱の適当な紹介文を綴る事でお茶を濁しておいた。ブログ名は「福禄寿老人」。可愛げもあったものではない。一応先ほどのツイッターと連動させておく。


題名「福禄寿様と寿老人様」

初めまして！

皆さんに少しでも福禄寿様と寿老人様の魅力を知って欲しくてブログを始めました！

早速ですが、お二方の紹介をしたいと思います。

緑色の着物を着て、頭が長く、杖を持った立派なご老人が福禄寿様。福禄寿様は福徳と長寿のご利益があります。長寿はやっぱり一番気にしちゃいますよね。長生きが一番！

お次は、水色の着物を着て、赤ら顔で、立派な髭を蓄えたご老人、寿老人様。寿老人様のご利益は寿命と幸運！　健康第一って人にオススメの神様ですね！

医学の発展で人間の寿命は長くなっているけれど、まだまだ戦争もあるし病気やウイルスも蔓延していて、何が起こるか分からないこのご時勢。これからの長寿の秘訣はお二方を崇める事だったり!?

これからもお二方の魅力にどんどん迫っていこうと思います。

皆もお二方の神社にお参りに行って、長生きしましょう！


顔中を毛むくじゃらの生物に舐められているという陰鬱《いんうつ》な夢から覚めてみると、顔の上に小さな鹿が乗っかっていて、やはり顔を舐められていた。

都冬が慌てて起き上がると、鹿はぴょんと跳ね、ベッドの足元の方へと着地する。

寝ぼけたまま、都冬は部屋を見回した。

ありふれた六畳のアパート。ベッドとは反対側に、玄関へと続く狭い廊下がある。小さな液晶テレビが入り口のすぐ右脇の角に置かれていて、「もう自分の事はいいから、そろそろ買い換えたら？」と苦笑いをしているように見える。そのテレビの後ろには60センチほどの風景画が、部屋とは不釣合いな額縁に飾られている。部屋の入り口から見て左側には、実家から持ってきた本棚が天井を支えるように立っている。中身はほとんど漫画ばかりだ。

どこを見ても溜め息しか出ない、幻想の入り込む余地の無いこの部屋に、当たり前みたいな顔をしてファンタジックな生き物が動いている。

鹿のひよどりはベッドの足元から再び這い上がって、都冬のお腹の柔らかさ具合を値踏みでもしているかのように、何度も足で押し始めた。鶴のおつうは開いたノートパソコンの天辺で毛づくろいをしている。

神様たちは炬燵の上で、並んで目を閉じ、坐禅《ざぜん》を組んでいた。窓から朝の光が、二柱をやわらかく照らしている。寝ているのだろうか。こうやって落ち着いている姿を見ると、体が小さくても威厳があるというか、威光のようなものを感じなくもない。

パッと見た限りだと、二柱の神様はとても似ているが、福禄寿には周囲を気使う優しさがあり、寿老人は気負わず物を言える。神様にも色々と個性があるのだ。

それに引き換え自分は——と、そこまで考えて、都冬はその思考ごと遠くへ振り払った。一日の始まりから暗くなるのは、良くない。

都冬は優しくひよどりを摘み上げ、炬燵の上に乗せた。ベッドから這い出し、自分も炬燵へと移動する。この季節は、いかに布団と炬燵の間を素早く行き来するかが死活問題になってくる。

しばらく炬燵で暖《だん》を取ってから、本棚に挟まっている小さなスケッチブックを取り出して、神様たちの寝姿をざっと描いてみた。おつうとひよどりが不思議そうな顔をしてこちらを見ているので、チラッとスケッチを見せてみると、翼を羽ばたかせたり尻尾を振ったりして、何だか喜んでいるように見える。都冬はおつうとひよどりも神様たちの横に描き足した。

ざっとラフを描き終えたところでスケッチブックをたたむと、都冬は静かに立ち上がり、トイレで着替えを済ませた。「留守番よろしくね」と動物たちに告げ、家の戸を開く。

外に出たとたん、吹きつける風がとても肌寒い。身を縮めるようにして、商店街へと向かった。

商店街に人は多かった。年が明けて二週間も経っているのだから、正月気分でいる人間なんて自分くらいなのだろう。店先の張り紙を見ると、スーパーは一月三日から営業を開始していたらしい。コンビニなどは年中無休だ。年末年始を乗り切る為に、冬眠する熊みたいに食料を買い溜めする必要はない。便利な世の中だけれど、半面、それで良いのかな、なんて思ったりもする。

でも、やっぱり便利なほうが良いという結論に達してしまうのだ。

都冬はスーパーで煎餅《せんべい》とお茶っ葉、それからお茶請けを買った。羊羹《ようかん》とお団子で悩んだけれど、結局両方をカゴに入れた。レジへと進み、いざ財布を開くと、中身がかなり乏しい事になっている。銀行にはまだ少し蓄えがあるけれど、このままぐうたらとしているだけでは確実に底を突く。一旦レジを離れ、カゴからお団子を取り出し、元の棚に戻した。お団子は切り分けられないし、喉に詰まったら大変だ。

家に帰るとすでに老神たちも起きていて、並んでパソコンのモニターを眺めていた。

「あっ」

都冬は慌てて部屋の中へ入った。あの中には、他人様《ひとさま》に見られては困るものが詰まっているフォルダがある。ましてそれが神様ならばなおさらだ。

しかし何を見ているのかと思えば、画面はデスクトップのままだった。どうやら使い方が分からなかったらしい。都冬はホッと息をつく。

「パソコンは、勝手に触ったらいけません」と都冬はなるべく丁寧に言った。

「ぶろぐが見たいんじゃ」福禄寿が眉尻を下げる。

「そんなにすぐ反応があるわけじゃありませんよ」と都冬が諭しても、福禄寿は日記の様子が見たくて仕方が無いらしい。寿老人に至っては、掲示板の方を覗いてみたいようだ。

どちらを見てもあまり良い事は無いだろうなと思いながらも、言われるがままブログを表示させた。携帯電話でも使って、他人の振りをして書き込みをしておけば良かった――などと思うけれど、もう遅い。

――ところが。

いざブログを見てみると、都冬が書いた、特に面白みがあるとも思えない日記に、コメントが付いていた。出会い系サイトか何かの宣伝ではないか、と思ったのだけれど、驚く事にそれはちゃんと日記についてのコメントだった。

「おお、誰かが応えてくれておるぞ」

福禄寿も寿老人も、画面に食いつかんばかりに近寄る。

「『私もお二方は素敵だと思います。これからも更新楽しみにしております』じゃと！なんとまあ！」

福禄寿が快哉《かいさい》を上げた。

「書いた人は、九典杏子さんじゃって。女性じゃ」

「きゅうてんきょうこ――かのう。奥ゆかしい名前じゃな」

寿老人も満更ではない様子だ。

「くのりきょうこ、かも知れんぞ。どちらにしろ品がある」

「名前が女性風だからと言って、本当に女性とは限りませんけどね」

都冬が冗談混じりに言うと、神様たちがハッと振り向いた。なんてバチ当たりな事を、とでも言い出しそうな、驚愕《きょうがく》の表情を浮かべている。

「……あー、でも、この文体だと女性である確率は高いと思いますけれども」

都冬がそう付け足すと「そうじゃよな」「きっとそうじゃ」と納得する声が上がる。

しかし、昨日の夜出来たばかりのブログに、いきなりコメントが付くなんて――

都冬は驚き、少し釈然《しゃくぜん》としない気持ちになった。

芸能ゴシップや流行のスイーツ情報とかならまだしも、神様たちには悪いけれど、とてもマニアックな内容なのだ。とてもじゃないが、クリックしようという気にはならない。

あるいは、これこそが二人の力だったりするのだろうか。

ブログにコメントをもらう力――と、そこまで思考をめぐらせて、都冬は笑いながら首を振る。いくらなんでも、そんな阿呆な能力なわけは無い。

このままの勢いだと掲示板も覗こうと言い出しかねないので、都冬は話題を逸《そ》らすために席を立ち、お茶を淹《い》れる事にした。

やかんでお湯を沸かし、急須にお茶っ葉を入れる。お湯の熱さは九十度、なんて祖母が言っていたけれど、案外適当だ。湯飲みは持てないだろうと判断し、小さなガムシロップの容器を飲みやすいように細工し、それに注いだ。買ってきた羊羹を切り分け、小皿に載せる。おつうとひよどりの分も一応用意したけれど、果たして食べられるだろうか。と言うか、そもそも神様は人間の食す物を食べるのだろうか。確認しておけば良かった。

「あの、お茶を淹れましたけれど、召し上がりませんか」

都冬は炬燵の上にお茶と羊羹を並べた。

「おっ、気が利くのう」福禄寿が手を叩く。

「おつうたちも食べられますかね」と言う都冬の問いに「こやつらは何でも食う」と寿老人が笑った。

「しかし……羊羹か」

皿の上に載った羊羹をしげしげと見つめながら、寿老人が呟く。

「あれ、羊羹お嫌いでしたか」

「いや、別に嫌いではないがの。些《いささ》か、食い飽きておる」

「これ、寿老、そういう事を言うでない。つふゆは好意で用意してくれておるのじゃぞ」

「人は何かと言うとお供《そな》えに和菓子ばっかり持ってくるからのう」

「確かに、つふゆは考え足らずだった部分もあるが、あくまで好意でやってくれている事なんじゃから」

「……配慮が足りず申しわけありませんでした」

都冬が不貞腐《ふてくさ》れながら頭を下げると、「いやいや、ええんじゃ」と福禄寿が手を振る。

「儂はそっちの、袋に入っているやつが食べたいのう」

寿老人は部屋の隅に置いてあるポテトチップスの袋を指差した。おつうとひよどりは早速羊羹を突いてもぐもぐと食べている。

「え、こんなもので良いんですか？」

「あ、儂もそっちが良い」

「あ、こんなもので良いんですか」

都冬はポテトチップスの袋を取ると、皆が食べやすいように袋を叩いて中身を砕き、袋を背の部分から開けた。

「こういうの食べた事ないんじゃ」

福禄寿は胡坐《あぐら》をかくと、小さめの欠片を手に取り、匂いを嗅いだり舐めてみたりしている。寿老人は両手で大きなポテトチップスの欠片を抱え、ハムスターやリスみたいにカリカリと食べ始めた。「こりゃあしょっぱい」「じゃがそれが良い」などと、満足そうな顔で各々感想を言い合っている。

神様たちの機嫌も大分良くなったところで、都冬は足を揃え、姿勢を正し、本題を切り出す事にした。

「あ、あの……福禄寿様、寿老人様」

「ん？　なんじゃ？」

二柱とも口の端に細かいポテトチップスをくっつけたまま、こちらを向いた。福禄寿は食べる事を止めないので、喋《しゃべ》もごもごと喋っている。

「ブログも早速コメントを頂いて、言うなれば、幸先《さいさき》の良い出足です」

「そうじゃな」

「これからもどんどん更新していく事で、きっと、もっとお二方の知名度は上がっていくものと思われます」

「ふむ」

「ですけれど、お恥ずかしながら、私の方に先立つものがありません。このままではブログの存続が危ぶまれます」

「なんじゃと」福禄寿が食べる手を止めた。

「そこでですが……お願いの先払い、といったような事は、出来ないでしょうか？」

「お願いの先払い？」

「つまり、儂らの願いを叶えるよりも前に、つふゆの願いを叶えろと、こういう事じゃな」寿老人はお茶をずずっと飲み、一息ついた。都冬は大きく頷く。

「出過ぎたお願いだとは思いますが……そう、このままだとお菓子も買えなくなりますし」

「むう」神様たちが唸る。

「かっぱえびせんやら、とんがりコーンやら、世の中にはまだまだ沢山のお菓子があるので、是非ともお勧めしたい所なんですけれど」

「むむ、かっぱえびせんとな」福禄寿が食いついた。

「はい、やめられないとまらない、かっぱえびせんです」

「中毒症状を起こすほど恐ろしく美味《おい》しいお菓子なんじゃな」

「それはもう」

「ううむ——どうじゃろう、寿老。ここは一つ、取り引きと言うのは」

「いや、しかし……願い事ってのはなんじゃ、金を出せという事か」

「そんな、強盗じゃないんですから……」苦笑いを浮かべた後、都冬は窺うように尋ねる。

「……お金も出せるんですか？」

「出せん」

「あ、そうですか」都冬は少し肩を落としたが、気を取り直し、

「仕事を見つけて欲しいという事です」

「なんじゃ、つふゆは無職か」寿老人は少し嘲る様に笑った。

「去年の秋に、ちょっと色々ありまして。おまけに、今は就職難で」

「ははあ、それで儂の神社にも、その手の願いを言ってくる輩《やから》がおったのか」

福禄寿は何か得心《とくしん》が行ったのか、頷きながら長い髭をそすそすとさすっている。神様とはいえ、世の中の出来事を何でも知っているわけではないようだ。

「全部、不景気のせいなんですよ」都冬はキッパリと言う。

「ふむ……不景気のせい、のう」何か言いたげに、福禄寿は眉をひそめた。

「じゃが、就職祈願は儂らの分野じゃないぞ」寿老人がさらりと言う。

「えっ、そうなんですか？」

「うむ」福禄寿が大きく頷く。「仕事関係と言うたら、夷三郎《えびすさぶろう》が扱っとるな」

「大黒《だいこく》なんかも一応押さえとるはずだがの」

何だか店頭商品のような言い方だ。神様にも取り扱っている祈願の分野があるらしい。

「仕方ない。約束は約束だしの。夷三郎はちょいと前から忙しそうにしとるようだから、大黒のところにでも行ってみるかのう」

福禄寿がよっこらと立ち上がった。それに反応して動物たちが二柱の神様に寄っていく。

「あ、ええと……今から、大黒様に会いに行くのですか？」

初対面の誰かに会う、という行為は、都冬を緊張させた。自分の胃の辺りが僅《わず》かに締め付けられ、思わず唾を飲む。

「ほれ、つふゆも用意せんか」

福禄寿にそう急かされ、都冬は慌てて立ち上がった。

神様に会いに行く用意？　一体何を持っていけば良いのだろう。そもそも、大黒様はどこにいるのだろうか。

神様のいる所…………出雲《いずも》？

だとしたら、これは遠出になる。旅行バッグはどこにしまっただろう。着替えを用意して、お金も下ろさないと。都冬はベッドの下から潰れた旅行用のバッグを引っ張り出した。

「あの……大黒様のいらっしゃる場所まで、どれぐらいかかります？」

「さあ、二十分くらいじゃろか？」寿老人は小首をかしげて、福禄寿に尋ねる。「頑張れば十五分もかからんかの」と福禄寿。

「やけに速いんですね。ひょっとして、念力のような力で瞬間移動したりするんですか？」

都冬の言葉に、神様たちはぽかんと口を開いた。やがて福禄寿は笑い出し、寿老人は大きく溜め息を吐く。

「徒歩じゃ、徒歩。すぐそこの神社じゃ」

「あ、歩きでしたか」都冬は頬を紅潮させた。

「瞬間移動じゃて。つふゆは幻想的じゃな」

あからさまに大きな声を出して、寿老人はおつうとひよどりに耳打ちをしている。

そっちだって充分ファンタジーのくせに――都冬は口の中でぶつぶつと文句を言いながら、大きなバッグをベッドの下へと戻した。

大黒天が祀《まつ》られている神社は、都冬が暮らしているアパートから駅方面に向かって歩き、線路を越えた先に流れている川沿いにある。神社の入り口付近には「七福神」と書かれた薄紫の幟《のぼり》がはためいていた。境内に入ってみると、参拝客はお婆さん一人しかおらず、閑散としていた。ご開帳《かいちょう》はすでに終わってしまったからか、それとも、元々こぢんまりとした神社だから、普段もあまり賑わってはいないのかもしれない。

お参りを終えたらしきお婆さんが、都冬の横を通り過ぎる際、丁寧にお辞儀をして、元気に神社の外へ歩いていった。

「神様の姿は、他の人には見えないんですか？」

都冬の問いに福禄寿が答えた。

「俗人には、儂らがその気で無い限り見えんな。ただ、徳を積んだ僧や神主、あるいは儂らに関わった事がある人間には、見える事もあるかのう」

小さな拝殿《はいでん》の前に立つと、福禄寿と寿老人は二柱掛かりで鈴を鳴らし、手を合わせた。お祈りでも始めるのかと思ったのだけれど、二柱が合わせた両手は、ピンと立てられた人差し指と中指以外が小さく丸められている。まるで術を使う忍者みたいだった。

やがて、二柱はぶつぶつと何か呟いた。

ふと風が止んだような気がして、都冬は辺りを見回した。けれど、入り口に立てられている神社の幟も、境内《けいだい》に生えている木の枝も、風に煽《あお》られ、右へ左へと忙しなく動いている。

奇妙な感覚だった。そして都冬は、辺りから一切の音が無くなっている事に気が付く。車が走り抜ける音だとか、遠くで鳴っていた踏み切りの音だとか、鳥の鳴き声だとか、そういうものが一切聞こえない。静か過ぎて、なんだか居心地が悪かった。

ごう、という音と共に、拝殿の向こうの空から円錐形をした灰色の塊が向かって来た。尖った先端部分を尾っぽのようになびかせて、ぐんぐんとこちらに迫ってくる。まるで小さな竜巻のようだ。みるみる内に近づいてくる竜巻が、勢いをそのままに拝殿の屋根にぶつかると、瓦や鈴や賽銭箱ががしゃがしゃと音を鳴らした。衝撃で都冬は思わず仰《の》け反《ぞ》り、その拍子《ひょうし》に足がもつれて尻餅をついてしまう。凄い衝撃だったけれど、年季の入った拝殿の装飾はどれも壊れておらず、福禄寿と寿老人も平然としていた。

やがて、拝殿の扉がぱかっと開くと、中から二つの米俵がぽーん、ぽーんと飛び出してきた。米俵は都冬の目の前で綺麗に整列し、更にその上にどっかりと大きな塊が乗っかる。

芥子《からし》色の頭巾、右手には小槌《こづち》、左肩に背負った白い袋。

「おー、誰や思たら、福禄はんに寿老はんやないか。元気そうで何よりでんな」

見慣れた姿の大黒天は、怪しげな関西弁だった。福禄寿や寿老人と違って身体《からだ》も大きく、都冬の胸の高さくらいある。

「お主も相変わらずのようじゃな」

「なんや、またえらいほっそい場所に呼び出したのう。知らん奴やったらいてもうたろかと思ってたとこや」

大黒天は神様なのに柄《がら》が悪かった。細い場所、とはどういう意味なのか、都冬は小声で寿老人に尋ねる。

「細い場所というのは、信仰の薄い場所という意味じゃ。信仰の薄い場所にはなかなか足を運び難くなる。この社はあまり人の訪れがないんじゃ」

「この姉ちゃんは誰や？」

グッと大黒天に覗き込まれ、都冬は思わず目を逸らした。大黒天は下から見上げるように、じろじろと都冬の顔を見つめる。

「……まさか寿老はんの孫？」

「いや、違う」寿老人が首を振る。

「相変わらずノリ悪いなあ、寿老はん。もっとびしっと突っ込んでくれな」

「お主と喋ると疲れる」

溜め息混じりにそう言って、寿老人は都冬の頭の上にふわふわと乗った。寿老人が髪の毛に触れた感覚はあったけれど、重さはちっとも感じない。大黒天は寿老人の言葉を冗談と受け取ったのか「まいったで」と言って、けらけらと笑っている。

「彼女はつふゆと言う名前でな、ちょっと儂らに協力してもらっておるのじゃ」

「は、榛名、都冬です」

都冬は尻餅の体勢を素早く正座に直し、頭上の寿老人を落とさぬように頭を下げた。

「はるなつふゆ？」大黒天が目を丸くする。

「飽きないように、じゃ」と福禄寿が補足した。

「うひゃひゃひゃひゃ！　最高のネーミングセンスや！　嬢ちゃん、ええ名前付けてもろたの！」

「……はあ」

「いや、ホンマやで。昔はな、店の軒先なんかに『春夏冬中』って看板出してたとこも多かったんや。これ、意味わかる?」

春夏冬中? どういう意味だろう。都冬は首を横に振る。

「アンタ、察し悪いな。自分の名前の由来と似たようなもんなのに。飽《あ》きないやのうて商《あきな》いや。商い中。つまり営業中って意味や」

「ああ、なるほど」都冬は思わず感心し、大きく首を縦に動かした。頭の上で「これ」と不機嫌そうな声が上がる。

「しかし、あんたらもええ加減、仲ええな。いっつも一緒におって。もしかして、皺《しわ》くちゃでわからんけど、どっちか婆さんなんじゃないやろな?」

「何を言っておるんじゃ」頭の上で寿老人が呆《あき》れ、都冬は思わず表情を引き締めた。

自分も同じ事を考えてました、とは言えない。

「大黒だって、昔は良く夷三郎《えびすさぶろう》と一緒におったじゃないか」

福禄寿がそう言うと、大黒天は途端に顔をしかめた。

夷三郎という名前がちょくちょく挙がっているけれど、夷三郎も神様なのだろうか。都冬が再び頭上の神様に聞いてみると、「恵比寿《えびす》と言った方がつふゆには通りが良いかの」と返答がある。

「恵比寿なんてどうでもええわ。もうずっと前から別行動や」

「なんじゃ、また喧嘩でもしたんか」

大黒天と恵比寿がしょっちゅう喧嘩しているなんて、ただ事ではない話だ。

「あいつ、ここ百年調子のっとるねん。やれビールや、駅名やって取り上げられてチヤホヤされとるからな。ホンマ腹立つわ」

大黒天は右手の小槌で左手をぱしぱしと叩いた。その度に小さな風が巻き起こり、都冬の前髪がぶわりと揺れる。

「そうかのう。いつだか皆で集まった時も、大して変わってないように思えたが」

「いーや、あいつは完璧にワシを舐めとる。この間会《お》うた時あいつが何て言ったか教えたろか？　教えたるわ。『大黒様もこの国の為に頑張りましょう』やと。……な？　舐めとるとしか思えんやろ？　言っとくけどな、ワシの名前の付いたもんやって人間界には仰山あるんやで。ワシかて商売に関しちゃ一家言《いっかげん》あるわな。それが何や、今やあっちが商売の神で、こっちはオマケみたいな扱いや。ビールと駅で全部持って行ってしまいよった。いや、ワシは別にエビスビールの事を悪く言うてるんやないで。ここ間違わんといてな。ビールに罪は無いしな。実際あれは良い酒や。どこぞのアホンダラがワシんとこにエビスビールをお供えとして持って来よる事があるんやけどな、最初は何考えとんねんドアホ思ったけど、飲んでみたら旨かったわ。それに、実はヱビスビールは元々大黒ビールで出そう言う目論見《もくろみ》があったんやで。まあ、それよりも先に大黒ビールっちゅう名前が商品として使われてたもんやから、次点として、しかーたなく、嫌々ヱビスビールにしたんや。流石サッポロさんやがな。第一をよう分かっとる。ヱビスビールでこんだけ騒がれとんのやから、大黒の名前付けてたら、もうどないなってるか見当もつかんな！……なんや、何の話しとるんか分からんくなってもーたけど、ワシは恵比寿が好かんちゅう事だけ胸に刻んでもろたら、それでええわ。ほな、またの。さいなら」

そう言うと大黒天は小槌を大きく振り上げた。四方から風の唸る音が聞こえる。

「これ、待たんか」

福禄寿はどこからか取り出した杖で大黒天の右手をパシリと叩いた。大黒天は「あいたっ」と声を上げ、持っていた小槌を地面に落とす。同時に、ごうごうと唸っていた風の音もぴたりと止んだ。

「いきなり何すんねん」大黒天は右手をさすり、息を吹きかけている。

「お主がこっちの話も聞かず帰ろうとするからじゃろ」

福禄寿がそう言うと、大黒天は一瞬目を丸く見開き、やがて呵々《かか》と笑い出した。

「何や、ワシの有り難い講釈を聞きたくて呼び出したわけやないんやな」

「この世界の誰も望んでおらん」寿老人がぽつりと呟く。それを聞いた大黒天は「また、ごっつキツイで」と言って笑った。

「今日大黒を呼び出したのは、つふゆの願い事を聞いてもらうためじゃ」

「この嬢ちゃんの？　何でまた。ははあ、さては福禄はんの孫やったか！」

一同の冷たい視線を浴びつつも、大黒天はわっはっはと笑った。ようやく笑い終えた頃、福禄寿が事の次第を説明する。

「ははあ、ネットで知名度を向上なあ。爺さんらにしちゃえらいハイテクな考え方でんな」

「そうじゃろう」福禄寿が胸を張る。

「でも、インターネット全盛のこの世の中、名も無いブログが結果残すなんて、そう簡単な事やあらへんやろ。成果のほうはどないなんや」

さすが大黒天。痛い所を突いてくる。

「まあ、滑り出しは順調と言ったとこかの」

福禄寿の言葉に、都冬も一応頷いておいた。この先どうなるかは分からないとは言え、幸先が良かったのは事実である。

すると大黒天は「ふむーう」と唸った。そうしてしばらく思案顔をした後、急に顔を明るくして「よしゃ」と一際高い声をあげた。

「嬢ちゃんの願い、叶えたろやないか」

「本当ですか！」都冬は思わず手を合わせた。

「ただな、タダやないで。ワシの頼みを聞いてくれる事が条件や」

「ええ……」

「何やねん。神様の事ケチな奴言う目で見たらアカンよ」

「ケチじゃろうが」寿老人が呟く。都冬は思わず同調しそうになったが、ぐっと堪えた。

「何言うとんねん。爺さんらはワシに丸投げするだけで願い叶えてもろて、まさに坊主丸儲けやないか」大黒天はピシャッと自分の頭を叩くと大笑いし、そしてすぐに真顔になって言った。「ワシ、タダ働きはまっぴらや」

「でも、何をしろと言うんですか？」

「いや、難しい事やあらへん。嬢ちゃんのやってるブログを使わせてもろたらええんや」

「まさか、恵比寿様のネガティブキャンペーンでもするんですか？」

都冬が言うと、大黒天は再び目を丸くした。

「そんなん頼まんわ！……嬢ちゃんなかなかエグいな。ワシ、エグい子嫌いやないで。さっきも言ったように、恵比寿は腹立つけどビールは旨いからな。ワシ嘘は吐けんわ。そやのうて、ワシの商品を宣伝して欲しいねん」

「大黒様の商品、ですか？」

「そや。こないだな、ナントカ言う会社の偉いさんが来たんや。ワシの名前付けた大《だい》黒生《こくなま》ちゅうビールを売り出すことにしたんでどうぞ宜しくー、てな。だいこくなまええ名前やろ。ワシは確かにケチやけど、ちゃんと筋通してくれたら悪いようにはせんわな。勿論モノが良くなきゃ助けんけど、味もなかなか良かったんやで。嬢ちゃんのブログでその商品の宣伝してくれたら良いわけや。結果が表れたらワシも嬢ちゃん助けたる。約束するで」

大黒天はニカッと笑った。老神たちも「じゃあ大丈夫じゃ」と言った顔をしている。あのコメントは奇跡のようなものだったのに……と都冬は心の中で落胆した。これでは、大黒天が自分の願いを叶えてくれるのは、いつになるのか分からない。もっと、しっかりとブログの難しさを伝えておくべきだった。

そうこうするうちに大黒天は再び小槌を振り上げ、「ほなまた！」と叫ぶと、高らかな笑い声と、ごうと唸る風と共に空の向こうへと飛び去ってしまった。どこまでもマイペースな神様だった。

帰り道、酒屋やスーパーに寄って大黒生なるお酒を探してみた。けれど、目当てのお酒はどこにも売っていなかった。仕方なくとんがりコーンやかっぱえびせんを購入する。

以前の仕事はそれほど高い給料ではなかったけれど、都冬は金を浪費する趣味を持たず、友人も少ないので交際費も掛からず、また安アパートのおかげもあって、今はまだ多少の蓄えはある。

神様が付いているのだから、きっと大丈夫だろう。

家に帰ってから、パソコンで検索してみても、大黒生らしき商品は一件もヒットしなかった。小さな会社なのだろうか。おそらく黒ビールだろうと当たりを付けた都冬は、ブログに適当に感想文を書く事にした。ツイッターにも適当な文章を発信しておく。

こんな事で私の就職は大丈夫なのだろうか、と都冬は小さく息を吐く。

ちら、と神様たちを見ると、彼らはとても美味しそうにかっぱえびせんを頬張っていた。

第二章

六畳間の中心で愛を叫んだノケモノ

唯一の友人である武藤環《むとうたまき》が「無職め、おごってやるからランチ行くぞ」と声を掛けてくれたので、表参道《おもてさんどう》にあるレストランへ食事に出かけることにした。表参道なんて滅多に近寄らないので、どんな格好をすれば良いのか見当がつかない。

「ついでに、就職祈願に参拝にでも行こうか」と環が電話越しに言う。

違う神様に就職のお願いをしたら大黒天が怒るかもしれないと危惧《きぐ》した都冬《つふゆ》は「そういうのアテにしてないんだ」と嘘をついたが、よくよく考えれば、これこそ聞かれたら大変だ。

留守番を神様たちに任せ、家を出る。出掛けに神様たちが「誰に会いに行くんじゃ」「何時に帰ってくるんじゃ」などと、娘の行動を気にする父親めいたことを言ってきたのが気に掛かり、都冬は忘れ物をした体《てい》で家に帰ってみると、案の定、神様たちがノートパソコンを押し開こうとしている最中だった。

「パソコンは変な風にすると壊れますからね！」と都冬が説教をすると、福禄寿《ふくろくじゅ》や寿《じゅ》老人《ろうじん》、おつうやひよどりまでもがションボリとして、少し居た堪《たま》れない気持ちになる。落ち込んだ様子の神様たちにとんがりコーンを差し出し、その隙に見られてはいけないポエムなどが詰まったフォルダを外付けハードディスクへと移動させた。

パソコンに時間を取られてしまったので、予定の電車に乗り遅れてしまった。十五分遅刻する旨を環にメールし、目的地へと急ぐ。

平日の昼間とあって表参道の駅前は空いていた。待ち合わせの場所に環が立っていたが、大学生らしき若者が数人、その周りを取り囲んでいる。絡まれているのかもしれない、と都冬は緊張したが、緋色《ひいろ》のスカーフを巻いた環は楽しそうに談笑している。

遠巻きから眺めている都冬を発見した環は、取り囲んでいる男たちに何かを伝えると、男たちは列を成して駅の方へと去っていった。去り際に、集団の一人が都冬を一瞥《いちべつ》し、何を言うでもなく列へと戻っていく。

都冬は胸を撫で下ろす。環が無事だったのが半分、この後、男たちと共に行動しなくて済んだのが半分。

「知り合い？」

「今知り合った。いいとこのお坊ちゃんたちみたい」

「それは何となく分かったけど」

よく知らない人と気軽に話したりしちゃ危ないでしょ、とは言わなかった。これが自分の妹だったら口を尖らせている所だ。

「都冬が遅いから、声掛けられちゃったよ」

「ごめん」

「一緒に食事でもって言ってきたけど」と言う環の言葉に、都冬は目一杯首を振る。

「だろうと思って、断っといた。あの中のどれかの父親が六本木に店持ってるらしくてさ、楽しそうだからメアドだけ教えておいた」

環は笑いながら携帯電話を揺らして見せた。

「大丈夫なの、それ」

「問題ないっしょ」

見知らぬ男に携帯電話のメールアドレスを教えるなど都冬には到底考えられないが、それを環に言っても仕方が無い。環はそうやって今の旦那と出会ったのだ。

誰とでも気軽に会話が出来て、距離のつめ方がとても速い。そのお陰で、私と環は一緒に居る。もし環が自分と同じような性格だったなら、高校を卒業して、別々に田舎から上京してからも、こうして二人で会う――なんて事にはならなかっただろうな、と都冬は常に感じていた。

都冬が現在無職である事を知っている知り合いは、環しかいなかった。

大通りには、店に入るだけでお金を取られそうな高級ブランド店が沢山並んでいる。環はそれを聞いて「ぼったくりバーじゃないんだから」とケラケラと笑った。

「用事が無いから免疫も無いんだよね、こういう店」

「あ、でも、おさわり代は発生しそうかも」環が真面目な顔で言う。

「バッグを持ったら二千円、とか？」

「お客様はショルダー部分をお触りになられたので、追加料金として五千円頂きます」

環はそう言って恭《うやうや》しくお辞儀をしてみせた。二人して声を上げて笑い、道行く人々に不審な視線を向けられる。

建物自体が襟《えり》を正しているような大人びた店で、オススメのハンバーグを食べた。有名なだけあってとても美味しい。けれど都冬は味音痴だから「すっごい繊細な味のハンバーグだよね」と言う環の感想に頷き返す事しか出来なかった。都冬はソースの味しか味わえていなかった。

「環も、旦那さんにこんな料理をつくるの？」

「まさか。というか料理なんてほとんどやらないよ。たいてい外食。でも、あの人何でもかんでも塩を振る人だから、せっかくの味付けも意味無いけどね」環は笑って答える。

「ポケットにマイ塩を入れて歩いてるのよ？　信じられる？」

「マイ塩？」

「自分専用の塩よ。沖縄のなんとか島とかいう所で採れるんだって。通販で、毎月送ってもらってるのよ。これが結構するんだから」

「血圧とか、大丈夫？」

「一応気をつけてるんだけど、知らないところで振り掛けられたらお手上げね」

環は腕組みをして、整った眉の間にひとつ皺を寄せた。それを見て都冬は安心する。先ほど集団に囲まれていた件もあって心配したが、何だかんだで環と旦那はうまくやっているようだ。

環が幸せだと、こちらも幸せになる。私にとって唯一と言っていい、家族を持った友達だからだ。

けれど最近は、その幸せを見るたびに不安になってしまう自分がいる。

——私はいつまで独りなのだろう。

今はまだ良い。きっといつか仕事も見つかって、だから生活していく事は出来るだろう。

でも、これから先は？

十年後、私はどうなっているの？

環は旦那さんの愚痴をこぼしながらも、柔らかく微笑んでいる。

親友の幸せはとても嬉しい――その筈なのに、こんな事を考えてしまう自分が嫌だった。

SNSのアカウントを解除したのだって、他の誰かの幸せを見るのが嫌だったからだ。こんな自分を見られたくなかったからだ。

私は歪んでしまっただろうか。人の幸せも、素直に喜べなくなってしまっているのだろうか。

「……大丈夫？」

環がこちらの顔を窺《うかが》うように覗き込む。

「あ、うん、ごめん！」

慌てて首を振った。それから無理やり笑顔を作ってみせる。

「……そう言えば、環ってお酒詳しかったっけ？」

「お酒？　どうだろ。それなりかな」

「大黒生っていうビール、知ってる？」

「だいこくなま？　凄くコクのあるビールなのかな。おいしいの？」

「いや、私も分からないんだけど。環でも知らないか」

「うーん、聞いたことないな。私より旦那の方が詳しいけど、旦那に聞いてみようか？」

　そう言いながら環が携帯電話を取り出したので、都冬は慌てて「大した事じゃないから」と断る。環でも知らないとなると、いよいよ地方の小さい会社が販売している説が濃厚になってきた。そうなると、放っておいても売れ行きが伸びていくのでは、という考えは甘かった事になる。

「どうしたの？　なにか悩み事？」環が心配そうな顔で都冬の顔を覗き込む。

「あ、ごめん。何でもない。考え事」

「それって、生活の事だったりする？　就職？　お金？　何か出来る事ある？」

　身を乗り出してきた環を、都冬は手で制した。

「こうしてお食事を奢っていただけるだけで、もう感謝感激です」

「なら良いけど」と環は口の端をテーブルナプキンで拭った。「まあ、ちゃんとご飯食べてるみたいだから良いけどね」

「それ、どういう事？」

「未婚の女性に直接は言えないわよ」そう言いながら環は首を伸ばし、チラチラとテーブル下にある都冬のお腹辺りを覗こうとしている。

「年末から正月にかけて、ぐうたらしてたのね」

「表れてますか？」都冬は自分のお腹を触った。

「表れてますよ」環も自分のお腹を触った。「独り身がそんなんでどうするの。そんなに蓄えて、冬眠でもするつもり？」

「なによ。そっちだってこのままだと、夏に旦那と海に行けなくなるよ」

「いや、私たちは、海行かないから」

環が笑いながら手を振る。「あ、そうだった。ごめん」と都冬はすぐさま謝りを入れる。「いやいや」と環は笑顔を崩さない。

しまったな……と、都冬は自分の発言を悔やんだ。

都冬と環は小学校からの仲だった。高校進学後、それぞれ違う道へと進んだが、共に上京して東京近郊で暮らしていたので、その距離は殆《ほとん》ど変わっていない。

環が海嫌いになったのは、臨海学校での事故が原因だった。授業の一環である遠泳中、突然の大波に呑み込まれた環は、そのまま海中へと姿を消した。浜辺から少し離れた岩場に打ち上げられている所を地元の漁師に発見されたのは、それから丸一日経った夕方の事だった。それ以降、環は海が苦手になり、したがって抜群のプロポーションを誇っている環の水着姿が披露《ひろう》される機会も無くなった。

「まだ、駄目なんだ」

「うーん、そうだね」

「温泉とか全然問題ないんでしょ？」

「むしろ好きだね」

「じゃあ、混浴の温泉で困るよ」

「昼間からお食事中に、お下品ですわよ」

「あら、これはシツレイ」

そうして二人とも、残りのハンバーグを一気に平らげた。

渋谷駅で環と別れ、都冬はディスカウントショップやデパートの地下などを覗き、大黒生が売っていない事を確認し、ついでに試食を堪能《たんのう》してから家に帰った。

木造二階建てのくたびれたアパート「ほうせん荘」。家賃が安く都内にある。それ以外良い所が見当たらない。強《し》いてあげるなら、壁があって、屋根がある事くらいだろうか。たった今、品《ひん》の良い店で素敵な食事をしてきたばかりだけれど、このアパートのお陰ですぐに現実と向き合えるのも、良い所なのかも知れない。仕事が見つからない今となっては、家賃の安いこのアパートに決めた自分を褒めてやりたいぐらいだ。でもやはり、この家に環は呼べない。

赤茶けて錆《さび》の浮いた階段を上り、意気消沈しながらドアを開けると、また神様たちがノートパソコンを眺めていた。

福禄寿と寿老人は、心臓マッサージでもするみたいに懸命にキーボードを押していたけれど、都冬の帰宅に気が付くと慌ててパソコンから離れた。

「パソコン、触っても大丈夫ですよ」

都冬が言うと、二柱とも「おお」とか「うむ」とか曖昧な返事をしてくる。どうしたのかとパソコンの画面を覗いてみると、画面には意味の分からない文章が記入されていた。

何を調べようとしてたんですか、と尋ねるより早く、福禄寿が声をあげた。

「つふゆ！　そのぱそこん壊れておるぞ！」

「え？　本当ですか？」

「押しても変な文字しか出ん。最初からそうじゃった」

「福禄が壊したんじゃ。ぱそこんを点ける時に適当に押しとったから」

「何を言うか、やろうと言い出したのは寿老じゃろうが」

取っ組み合いになった神様たちを横目に、都冬はパソコンに触ってみた。しかし、ざっと触れたところおかしな様子は無い。

「別に、壊れていないと思いますけど……」

「えっ、本当かの？」

寿老人の髭を左右に引っ張っていた福禄寿が、ぱっとこちらを振り向いた。

「でも、ふがにじゃぞ」

「ふがに？」

「2じゃ、数字の2。おかしいじゃろ」

「数字の2……」

都冬はキーボードを見た。すると数字の「2」のキーに平仮名の「ふ」が記されている。

「ひょっとして、平仮名のふを押したのに、数字の2が表示されるという事ですか？」

「そうじゃ！　最初からそうじゃったんじゃ」

「ああ、これはこれで大丈夫なんです」

「……………壊れとらんのか？」寿老人が恐る恐る近寄ってくる。

「入力方式が違うんですよ。『ふ』と打ちたい場合はFとUを押さなきゃだめなんです」

「えふとゆう」神様たちの言葉が重なる。

「ローマ字の事ですよ。ほら、FとU」

都冬は神様たちに見えるように、ゆっくりとキーボードを押して見せた。モニターに「ふ」と表示される。それを見た神様たちは「おぉ」と感嘆の声を洩らした。意味が分かっているのか、おつうやひよどりも小さく揺れている。

「ローマ字って分かります？」と聞くと、寿老人は「神を馬鹿にするでない」と唾を飛ばした。

「最近は異人さんの事を考えて、外来語で場所を記している社寺も増えてきておるからの」

福禄寿はそう言って懐手《ふところで》した。

「ところで、何をしようとしていたんですか？」

「いやの、儂らも、そのぶろぐとやらを書いてみようと思って」福禄寿は懐に入れた手を袖の中でもじもじと動かした。

「神様が、ブログを書くんですか？」

「つふゆ一人には任せられんという事じゃ」寿老人が悪態をつく。

「これ、寿老」

ムッとした都冬は「そうまでして、有名になりたいんですか？」とつっかかった。

途端《とたん》、寿老人の顔が見る見るうちに紅く染まる。

「お主は、儂らが人間に受けてきた扱いを知らんからそんな事が言えるんじゃ！」

「……扱い？」

寿老人の剣幕《けんまく》に都冬は思わず首を竦《すく》める。福禄寿が溜め息混じりに説明した。

「例えば……そうじゃな。わしと寿老はな、お主ら人間の間じゃ、元々は同じ神だ、なんて言われとるんじゃ」

「お二人が？」たしかに、似てはいるけれど。

「お主らからすれば老人はどれもこれも一緒に見えるんじゃろ!」

「いや、見えるんじゃろと言われても……」寿老人の真っ赤な顔から執拗《しつよう》に唾が飛んでくるので、都冬は必死に座布団《ざぶとん》でそれらを防ぐ。

七福神なのに、その中の二人が同一の神様だなんて……おかしな話だ。たしかにそんな事を言われだしたら、二人にしてみれば、大変な憤りを感じるかもしれない。

唾を避けながら、これは自分が人間代表として謝るべきなのか？　などと考えていると、急に鹿のひよどりが騒ぎ出した。首をキョロキョロと動かして、部屋の中を見渡している。それに反応したのか、鶴のおつうも忙しなく動き始めた。

「これ、落ち着かんか」

福禄寿が声を掛けても、おつうとひよどりはぱたぱたと震えている。そして、ふっと玄関の方へ首を向けた。都冬も老神たちも、釣られてそちらへと目を向ける。

午後三時を回ったくらいだろうか。やや傾き出した陽射しが、台所にある小さな窓から鈍い銀色のシンクを照らしている。アパートの前の道を、一台のバイクが疲れた音を鳴らしながら走り抜けていく。一体何が起こるのだろうとぼんやりドアを見つめていると、バイクの音に紛れて、キシ、キシとアパートの階段が鳴った。その後、ペタ、ペタと、誰かが廊下を歩いてくる。

やがて、その音は都冬の部屋の前で止まった。

——新聞の勧誘だろうか。新興宗教とかだったら面倒だな。神様が二人もいる部屋にいながら、神なんて信じてません！　などと断ったら後々面倒な事になりそうだ。

都冬は自然と呼吸を止めて居留守の態勢に入った。神たちにも、ジェスチャーで音を立てないようにお願いする。

コンコン。コン、コン。ドアがノックされる。

「榛名さん。いますかー」

男の声だ。低く、太い声。

「榛名都冬さーん」

郵便配達だろうか。先日の電話で母が何かしら感づいて、足しになるものを送ってくれたのかもしれない。都冬はそっと、ドアの方へと近づいていった。

「あきないさーん。いますかー？」

その言葉を聞いて、都冬は片足を上げたまま全身を硬直させた。

──ドアの向こう側にいる人物は、郵便配達じゃない。

「入るぞー」ドアの向こうの男はそう言った。

──入るぞ？　どうやって？

慌ててドアノブに目をやるが、ドアにはしっかりと鍵が掛かっている。

都冬はゆっくりと、ドアのスコープから外を覗いた。スコープが壊れているのか、覗いた先は真っ赤だった。

「いかん、つふゆ！」寿老人が部屋からそう叫んだ。

いかんとはどういう事だろう――と都冬が思うやいなや、ドアのスコープから何やら赤いものがにゅっと現れた。丸みを帯びたその赤いものは柔らかそうで、高級なハムのようだった。

「つふゆ！　押し返せ！」

寿老人が声を上げてこちらへ飛んでくる。そう言っている間にその赤いものはみるみる大きくなり、ドアからずぶずぶと迫り出してきた。

まず、鼻が出てきた。それから頬、口、目、顎、おでこと迫り出し、真っ赤な顔が出現する。

猿みたいな顔だった。

その顔に付いている二つの目玉がギョロリと都冬を見る。

猿と、目が合った。

「ぎゃ」都冬は思わず叫び声を上げてしまう。

何かを言おうとしたのか、赤い顔が口を開きかけた瞬間、勢い良く飛んできた寿老人が、手にした瓢箪でその猿顔の真ん中を叩いた。

「いてっ」赤い顔が悲鳴を上げる。寿老人は構わずに鼻を叩き続けた。

痛がりつつも、赤い顔はぐいぐいと押し進み、自由になった手で寿老人の襟元をつまむと、ぽーんと都冬の後方へ放り投げた。空中で何度か回転した寿老人は、再びふわふわと浮かび上がると、赤い顔を睨みつける。

ドアへと目を戻すと、すでに赤い顔の猿は、その全身を室内へと入れていた。猿は、都冬とほぼ同等の身長があり、肩の辺りまで伸びたぼさぼさの黒髪、薄茶色の着物から伸びる手足は長く、やはり猿のようだ。腕からも脛《すね》からも長く濃い体毛が生えている。

「ふう」と息を吐くと、その猿は首を丸めて、赤べこみたいにゆらゆらと揺らした。

「冗談が過ぎるぜ、寿老人」耳元まで裂けそうな口を開いて、赤い顔は言った。

「夜右衛門《よるえもん》か、久しぶりじゃのう」

「ああ、福禄寿までいたのか」

よるえもん、と呼ばれた赤い顔の、二つの目が大きく見開かれる。

「何しに来おった！」寿老人は息を荒らげている。

夜右衛門はそんな寿老人を一瞥すると、都冬を見て事も無げに言った。

「あんたが都冬さん？」

夜右衛門が一歩近づき。思わず、都冬は後退してしまう。

「気をつけるんじゃ、つふゆ！　そいつは猩々《しょうじょう》という妖怪じゃぞ！」

寿老人が都冬と夜右衛門の間に飛び込んで来た。

「よ、妖怪？」

都冬は夜右衛門を見やる。夜右衛門は特に隠す様子も無く、こくんと頷いた。

「猩々風情《ふぜい》が儂らに何の用じゃ」寿老人は瓢箪をかざし、声を荒らげる。

「あんたらに用はないよ。用があるのは都冬さん」

「わ、私ですか？」都冬は再び後ずさった。

「別に、取って食いはしねえよ。こんな形だから嫌がる気持ちも分かるけど、話だけでも聞いてくれねぇか」

「聞かんでええぞ、つふゆ」寿老人が都冬の頬をぺたぺたと叩く。

「でも……」

都冬が答えあぐねていると、寿老人は夜右衛門の顔に指を突きつけて言った。

「こいつらはな、人間の船を沈める極悪非道な妖怪なんじゃぞ」

「……そうなんですか？」都冬の問いに、夜右衛門は再び頷いた。

「まあ、遠路遥々《えんろはるばる》訪ねて来たんじゃから、玄関先で追い返すこともなかろう」

福禄寿は一つ咳払いをすると、張りのある声で言う。

「そ、そうですね。ええと、とにかく上がってください」

「福禄！　つふゆ！」

寿老人の喚きを無視し、夜右衛門を都冬の部屋へ案内した。怖いはずなのに、何故そうしたのか、自分でも良く分からない。夜右衛門の猿顔が、どことなく、実家で飼っている犬に似ていたからかもしれない。夜右衛門は相好《そうごう》を崩し、「ありがとう」と笑った。口が耳元まで裂けているので、笑うととても怖かった。

部屋の炬燵《こたつ》で、都冬と夜右衛門は差し向かいに座った。福禄寿は炬燵の上で胡坐をかいて、夜右衛門を見つめている。寿老人は夜右衛門を部屋に上げた事が気に入らないらしく、ぷかぷかと天井付近を漂っていた。

「あの、どうして私の名前を知っているんですか？」

都冬が切り出すと、夜右衛門は「ああ」と少し言い淀んだ。

「聞いたんだよ。都冬さんが、日記で色んな奴の願いを叶えてるって」

「大黒の奴か。存外、口が軽いのう」福禄寿が顎をさする。

まだ願いなんて一つも叶えていないのに、大黒天も随分調子の良い事を言ったようだ。大黒天のにやけ顔を思い出し、都冬は思わず苦笑いを浮かべた。

「じゃあ、その……あなたも私のブログに、何かを書いて欲しいと?」

「うん、まあそう」

「駄目じゃ」寿老人は天井からするすると下りてきて、夜右衛門の目の前で言った。

「あんたが書いているわけじゃないだろう」

「これから儂も書く所なんじゃ」寿老人が顎を突き出した。「それに、つふゆも妖怪の願い事なんて聞きたくないじゃろ?」

「それは……どんな願いかによります」つい、都冬はそんなことを言った。何だか夜右衛門が可哀想な気がしたからだ。

「これ、つふゆ!」

「寿老。お主、ちぃと黙っとらんか」福禄寿はそう窘《たしな》めると、夜右衛門に言葉を促した。夜右衛門は軽く頭を傾け、福禄寿に感謝を表す。

「あのな、さっきもちょっと出た話なんだが……俺たち猩々が船を沈めるって言う話なんだけどな」

「はい」思わず唾を飲む。

「恐ろしい妖怪じゃ」

「寿老」福禄寿が低い声を発する。寿老人はつまらなそうに口を窄《すぼ》めると、都冬の頭の上にふわりと飛び乗った。

「すべての猩々がそういう事をするわけじゃねぇんだが、中にはそういう奴もいるってのは事実だ。猩々が船を沈めるのは、猩々の性《さが》みたいなもんなんだな」

夜右衛門は淡々と語り出した。

「俺たちの多くは海で暮らしてる。そんでもって、どいつもこいつも無類の酒好きだ。大抵は酔っ払ってる。酔っ払ってぷかぷかと浮かんでいるのが気持ち良いんだな」

夜右衛門はそう言ってにんまりと笑った。都冬はその頬やおでこをじっと眺める。今も酔っているから、顔がこんなに赤いのだろうか。

夜右衛門は続ける。

「酔っている時は、楽しい事がしたくなるだろう？　人間が酒を飲んで、歌ったり踊ったり、花なんかを見ている姿をよく見かけるぜ。俺ら猩々にとってのそれは、そこらを通る船を沈める事だ。俺たちが桶かなんかで水を汲む。人間たちが慌てて掻き出す。それが楽しくてたまらないんだ。まぁ、人間にとっちゃ、酷い話なのかもしれないが……」

「迷惑以外の何物でもないのう、つふゆ」寿老人が頭の上から語りかけてくる。都冬は曖昧に頷いた。

「だが、人間だって馬鹿じゃない。俺らへの対策として、底の抜けた桶やら樽やらを用意するようになった。俺たちは酔っ払ってるもんだから、わけが分からない。水を汲めていない事にも気がつかず、やがて酔いが回ってぶくぶくと海中だ」

「阿呆じゃのう」福禄寿が小さく笑う。「そうだな」と夜右衛門も笑った。

「それはそれで面白かったし、お偉方にも、人間に危害を加えないよう言われてた頃だったから、これで丁度良かったんだな」

都冬は、真っ赤な顔の猩々たちが満腔《まんこう》の笑みを浮かべながら海中へと沈んでいく姿を想像した。ちょっと気持ちが悪い。

「だけど、最近はどうも、人間が俺らへの対抗策を忘れちまっているらしい。まあ、妖怪や幽霊を信じている人間なんてもう殆どいないんだろうけどな。幸い、最近の船は良く出来ているからあんまり沈む事もないんだが……」

「なるほど。そこで、つふゆのぶろぐに猩々の話を書いてもらって警鐘を鳴らそう、と言うわけじゃな」

福禄寿の言葉に猩々が頷く。

「お願いできるかな」

都冬を見つめる夜右衛門の目はくりっとしていて、やっぱり実家で飼っていた柴犬を思い出した。

「でも……実際に効果があるかどうかは分かりませんよ？」

「都冬！　こやつの願いなんぞ聞く必要ないわ！　こやつは……最低最悪な妖怪なんじゃぞ！」

寿老人が頭上で叫び声をあげたものだから、都冬は思わず首を竦《すく》めた。そのせいで、寿老人はころころと炬燵机《こたつ》の上に転がり落ちる。

「別に、俺たちは自分が高尚な妖怪だなんて思ってないから、何と言われても良いけどな」

夜右衛門は少しむっとした顔を見せ、炬燵の上にうつ伏せになっている寿老人を睨んだ。

「ふん、どうだかの。その割には崇められて浮かれてたようじゃったが」

「あれは、別に俺たちが望んだ事じゃない。人間たちが勝手にやった事だ」

「それこそ、どうだか」

「あのなあ……ってか、あんた、いつの話を蒸し返してるんだよ」

寿老人と夜右衛門がどんどん険悪になっていく。どうして寿老人はこうも夜右衛門に噛み付くのだろう。なんだか夜右衛門が可哀想だ。

「寿老、やめんか」

「そうですよ。いい加減にして下さい」

福禄寿と都冬に責められ、寿老人は「なんじゃ！」と飛び上がった。

「さっきから猩々の肩ばかり持って！　ふん。もうお主らなんぞ知らん」

寿老人は指を変な形に絡めると、ボンという音とともに姿が見えなくなった。何が起こったのか分からず呆けていると、福禄寿が「外に出て行っただけじゃ」と溜め息を吐く。ひよどりは寿老人が消えた空間を見つめ、ぷるぷると震えている。

「あいつはまだ気にしてんのか」夜右衛門がひよどりの背中を毛むくじゃらの指でそっと撫でながら言った。

「まあのう」

「執念深い奴だな」

「あの……」都冬は恐る恐る尋ねた。「お二人の間に何かあったんですか？」

福禄寿は炬燵の上であぐらを組んで、髭をさすりながら「うむー」と唸る。

「実はのう、この夜右衛門はな――七福神だった事があるんじゃ」

「えっ？　妖怪なのに!?」

そう言ってから、都冬は手で口を塞いだ。慌てて猩々の顔色を窺う。

しかし夜右衛門は特に怒るような様子を見せず、両手を軽く上げ、おどけて見せた。

「……でも、そうしたら八福神になってしまいませんか？」

「そうじゃな。だから、外されたのが寿老というわけじゃ」

「えっ、寿老人様が？」

「人間は、寿老と儂は同じ神じゃと思っていたからのう。仕方ないと言えば、仕方ないんじゃ」

「まあ結局は、寿老人が元に戻ったんだけどな」

「儂の代わりに吉祥天《きっしょうてん》が入っておった事もあるしのう」

「七福神って、そんなにころころと入れ替わるものなんですか？」

「ま、出たり入ったりするのは儂らくらいじゃがの。……人間に人気が無いから」

福禄寿が暗い顔になる。

「それって、全部人間が決めるんですか？　神様の事なのに？」

「そうじゃ」福禄寿は深く頷いた。「そもそも、儂らの力も人間が決めているようなもんじゃしな」

「神様の力を？」

「人間の言葉を使うなら、御神徳《ごしんとく》、御利益《ごりやく》と言えば分かり易いかの。そういった力は、人間たちの信仰心の多寡《たか》によって決まってくるんじゃや。たくさん信仰されている神はそれだけ大きな力を使えるし、ちーとも尊敬されとらん神はなーんもできん、と言うわけじゃ」

「なるほど」

福禄寿や寿老人が、ブログを使ってまで知名度を上げたい理由はそこにあるのだろうか。

「寿老人様に、ちょっと酷い事をしてしまったでしょうか」

七福神を外された寿老人が、今の自分と重なり、都冬は少し後ろめたい気持ちになった。会社をクビにされた事と同列で考えられていると知ったなら、また寿老人は怒り出すかも知れないが。

「なあに、いつもの事じゃ。しばらく経ったら戻ってくるじゃろ。夜右衛門のぶろぐも上手いことやっておくから、安心せい」

福禄寿はそう言うと呵々と笑った。それがあまりにも自信満々な笑い方だったので、都冬は「当てにしないでください」と念を押した。ブログのせいで、妖怪大戦争みたいな事態に陥られても困る。

話は一通り終えたはずだけれど、しかし夜右衛門は一向に帰る素振りを見せなかった。もじもじと体を揺すり、くりくりとした目を右へ左へと動かしている。

「お、あれ」夜右衛門はテレビの後ろに飾られている絵を指差した。大きなキャンバスには、なだらかな黄緑色の丘と沈むような青空が描かれている。

「なかなか良いな」

「あ、本当ですか!?」都冬は鼻を膨らませる。「これ、私が描《か》いたんですよ!」

「ほう。お主、絵が描けるのか」福禄寿が驚いたように目を丸くした。

「どこの景色なんだい」

「いや、どこのと言うか、架空なんですけど」

「ほう、空想の風景か」

「それにしちゃ、随分としっかり描いてあるなあ」

「それは、必死で描きましたから」

「ふむ。都冬でも必死になることがあるんじゃのう」福禄寿はただただ感心している。

自分がどう思われているのかを理解し、都冬は肩を落とした。

「いいねぇ。そりゃ、うん。いい事だ」

夜右衛門はしみじみと頷いた。そして、再び沈黙する。

都冬と福禄寿から送られる視線に促されるように、妖怪は「あ、そうそう」と言った。

「最近、妖怪界隈で、妖怪退治をしてる人間がいるって話題になってるんだよ。なんて名前だっけな――ニコニコとか、ニヤニヤとか、なんかそんな感じの奴で」

歯車がカラカラと空転しているような調子で、夜右衛門は口を動かした。

「笑い顔が特徴なんですか？」

「見たこと無いけど、そうなんじゃねえか」

妖怪。妖怪退治。これまたファンタジーだな、と都冬は思わず口元を緩めた。

「妖怪って、今もたくさんいるんですか？」

「数は大分減ったけどな。うまく人間たちに溶け込んでるのもいれば、俺らみたいに昔から変わらないのもいる」

「じゃあ、妖怪退治なんてする人がいたら、夜右衛門さんは危ないんじゃ」

「人間の船を沈める妖怪なんて、そのニヤニヤとやらに真っ先に退治されそうじゃの」福禄寿が口の端を曲げる。

「だから都冬さんに何とかして貰おうと思ったんだよ。被害が出なけりゃ狙われないだろ」

「もう手遅れかも知れんぞ」

「その時は――戦だなあ」

深刻そうな表情を浮かべてそう言うと、夜右衛門は噴き出した。福禄寿も一緒に笑う。どこが面白いのか、都冬には良く分からなかった。

ひとしきり笑い終えると、再び猩々は目を左右へふらつかせ、ますます言葉少なになる。

「一体どうしたんじゃ」

都冬と幾度も視線を交わした後、福禄寿が声を掛けた。部屋のあちこちに目をやっている夜右衛門はいきなり「寿老人のクソジジイ！」と叫んだ。あまりの唐突《とうとつ》さに都冬と福禄寿の身体がビクンと跳ねる。夜右衛門はまんまるの目を皿のようにして、部屋の四隅を見渡している。

「な、なんじゃお主、いきなり」

「あ、いや、実はな」夜右衛門は再びまごまごしたが、都冬と目が合うと姿勢を正した。

「都冬さん」

「は、はい」あまりに真摯《しんし》な眼差しだったので、都冬は思わずドキリとする。

「俺の代わりに、け、懸想文《けそうぶみ》を書いて貰えないだろうか！」

夜右衛門は言い終わると同時に頭を下げた。ゴンと炬燵机が音を鳴らす。

「けそうぶみ？」

「恋文《こいぶみ》の事じゃ」福禄寿が耳元でやたらと甘ったるい声を出した。

「恋文ですか！」都冬は思わず大きな声を上げてしまう。夜右衛門は下を向いたまま固まっている。ひょっとすると、赤い顔が桃色になっているかもしれない。

「でも、何でわざわざ人に頼むんです？　自分で書けば……」

都冬の言葉を後頭部で聞いた夜右衛門は、俯《うつむ》きながら自分の顔をパチンと両手で叩くと、勢い良くこちらを向いた。その顔は先ほどと同じ、深い赤色をした猩々の顔だった。

「……俺たち猩々は、人語は解せても字は書けねえ。いや、まあ中には奇特な奴もいたもんで、字の達者な奴もいることはいるんだが――そいつには頼めねえんだ」

「それまた、どうして」

「そりゃあ、相手が猩々じゃないから」

「ほう！」福禄寿が一際高い声を発する。

「え？　どういう事でしょう」

「つふゆはにぶちんじゃのう」福禄寿があからさまに残念そうな表情を浮かべて言った。

「福禄寿様はお分かりになられたんですか？」

「当たり前じゃろ。なんでわざわざ夜右衛門がつふゆに頼んでいると思うんじゃ」

「それは、私がブログを書いているから……？」

「つふゆは相当駄目じゃな」

呆れられてしまった。

「つふゆの特徴と言えば、人間の女である事じゃろう」

「福禄寿様、それって悪口ですよね？」

人間の女なんて、この世に何億人いると思っているのか。いくら何でももっとちゃんとした特長が――、
あ、なるほど。

「ラブレターを渡したい相手って、人間の女性なんですか？」

夜右衛門がこくりと頷《うなず》く。

「夜右衛門。お主、本当の目的はこっちじゃろ」

夜右衛門は再び頷く。それから「俺みたいな妖怪がおかしいだろ」と自嘲気味に笑った。

「そんな事無いですよ。素敵じゃないですか！　相手はどんな人なんです？　どんな出会いだったんですか？」

「つふゆ、興奮し過ぎじゃ」

「あ、すみません……」

「ちょっと前に、その、助けたんだよ」

夜右衛門はしどろもどろになりながら、ぼそぼそと言った。

「危機を救ったって事ですか！　運命的ですねぇ！」

人間だって滅多にある出会い方じゃない。むしろ、妖怪だからこその出会い方なのかもしれない。夜右衛門は都冬の言葉を聞くと、ぽりぽりと頭を掻きながら「そんな大層なもんじゃやねえけど」と言ってはいるが、あからさまに照れていた。

「しかしのう……」福禄寿は髭を触りながら眉根を寄せている。「悪い事だとは言わんがなあ、夜右衛門」

福禄寿が言い淀んでいると、夜右衛門はそれを制した。

「いや、福禄寿。勘違いしないでくれ。さっきは勢い余って懸想文だなんて言っちまったが、別にそういうわけじゃないんだ。別にどうにかなりたいってわけじゃない。ただ、そう、文通でも出来れば良いかなとか思っただけだ。ああ、これはつまり、どうにかなりたいって事になるが、しかしそう言う意味じゃない。つまりだな――」

「わかった、わかった」福禄寿は苦笑する。

「どうしてまた、文通なんですか？」

都冬が問うと、夜右衛門は何を当たり前の事を、とでも言うかのように鼻で笑った。

「俺が気持ち悪いからだよ」

「そんな自虐的な……」

「あのな。こっちはもう何百年と人間に付き合ってきてるんだ。人間が俺たちを見てどう感じるかなんてとっくに理解してる。現に都冬さんだって、俺を見て驚いてたじゃないか」

「あれは、その、ええと――」その通りなので何も言い返せない。

「そうだ！　住所が分からないと手紙が届きませんよ」

都冬は話題を戻す事で誤魔化した。

「そうか、住所か……。住所は分からないな」

「まずは、何処に住んでいるのか見つけないといけませんね」

「そりゃあ、難儀じゃなあ」福禄寿が唸る。

「何か手がかりがあれば良いんですが」

「出会った所はどの辺なんじゃ？　そこからある程度絞れるんじゃないかの」

「海だ」

「ほう！　浪漫じゃのう。何処の海なんじゃ」

「男岩《おとこいわ》辺りだよ」

「男岩って――もしかして、雨晴《あまはらし》海岸ですか？　富山《とやま》の」

「とやま……そう、確かそんな名前だったかな」

「つふゆにしては物知りじゃな」

「物知りも何も、私の地元は富山なんです」

都冬が言うと福禄寿は「ほう」と頷いた。

「道理で、つふゆが知っとるわけじゃ」

「でも、雨晴海岸は渚《なぎさ》百選にも選ばれる海岸ですから……それなりに他県からも観光客は来るんですよ。だから、富山の人だってわけでも無いかも知れませんね」

「ううむ……それは困ったのう」

福禄寿は腕組みをして「むむむ」と喉を震わせた。

もっと、他に手掛かりが必要だ。

「どんなに些細《ささい》な事でも良いので、何か知っている事はありませんか？」

「ええと、江戸《えど》前の海……今は何て言うんだっけ」夜右衛門は額に皺を寄せながら言った。

「江戸？　東京湾《とうきょうわん》ですか？」

「そう、それだ。あそこをずっと奥に入っていくと、目の前に馬鹿でかい筒が立ってて、そこを左に行くと川になってて、その先の四角い建物に住んでる」

「え？」

都冬と福禄寿様は同時に声を上げた。

「住んでる所、分かるんですか？」

「ああ、場所はな」

「お主、さっき住所は分からんとか言っておったじゃないか」

「住所は分からねぇよ。住所ってのは、何番地がどうのこうの、って言うんだろ？」

「どうして、富山で出会って、東京に住んでる事が分かったんです？」

「そりゃ、引っ越す時について行ったからだけど」猩々は事も無げに言う。

「ついて行ったって……富山から東京までですか？」

「体力には自信があるんだ」

そういう問題なのだろうか。いや、妖怪なのだから、あるいはこんな事くらい出来て当たり前なのかもしれない。

「愛の力という奴じゃな！」福禄寿がここぞとばかりに大きな声で言う。

「どうせまた行くから、手紙を送るのに必要な情報を、その時に調べておくよ」

そう言って夜右衛門は立ち上がった。「あんまり長居していると寿老人が帰ってくるな」

「どうせまた行く？」猩々の一言が気になり、都冬は思わず尋ねた。

「ん？　いや、別に深い意味は無い。週に一、二回くらい様子を見に行ってるだけだ」

夜右衛門は、頬を桃色に染めながら言った。

「恋じゃな！」福禄寿はうきうきしている。

それを、現代ではストーカーと言うんじゃないだろうか。でも、妖怪だから、良いのかな？　そもそも、妖怪とか霊とかは、ストーカーみたいなものなのかもしれない。

都冬は無理やり納得する事にした。

「やあ、恋愛じゃのう！」

夜右衛門が去ってからも、福禄寿は興奮しきりだった。「見かけによらんもんじゃ」

「まさに内角の和、ですねぇ」

都冬は独り言のように呟いた。福禄寿が「ん？」と首を傾けたので、何でもありませんと手を横に振る。

「つふゆ、お主も誰ぞ意中の人はおらんのか？　片思いと言うやつじゃ」

「何で片思いって決め付けるんですか」

「それじゃあ、お付き合いしている御仁《ごじん》がおるのか？」

「……いません」

「そうじゃろうのう……」

福禄寿は哀れんだ目で都冬を見た。

福禄寿といい寿老人といい、何かにつけて嫌味な神様たちだ、と都冬は歯噛みする。

すると、天井で、ポン、と小さな破裂音がし、寿老人が姿を現した。

「おお、寿老、戻ったか」

寿老人はキョロキョロと部屋を見渡し、猩々がいない事を確認すると小さく息を吐いた。

「寿老！　予想した通り、つふゆは一人身じゃったぞ！」

「お、儂の言った通りじゃったか」

二柱のやり取りと聞いて、都冬は眉をひそめる。一体、自分がいない間にどんな話をしているのだ。

「つふゆ、人の価値は仕事や恋人の有無で決まるものではないぞ」

その高説はちっともありがたくなかった。福禄寿の言葉を受けて、寿老人が言う。

「そうじゃ。その二つは一生手に入らんかも知れんが、代わりに何か素敵な物が見つかる」

「ちょっと！」老神たちの物言いに、都冬は声を荒らげた。「神様なんだから何とかしてくださいよ。そもそも仕事はお二人がどうにかしてくれるんじゃ無かったんですか？」

都冬が反攻に出ると、途端に寿老人はそっぽを向いて、ぷかぷかと部屋を浮遊し出した。

「例えばほら、弁天様《べんてん》を紹介してくださるとか」

「弁天？　どうしてじゃ」福禄寿が首を傾げる。

「だって、縁結びと言えば弁天様じゃないんですか？　紅一点ですし」

するると、寿老人は呵々と笑い出した。「弁天にそんな甲斐性《かいしょう》なんぞあるものかい」

「そうなんですか？」意外だった。

「弁天は琵琶の弦か算盤《そろばん》を弾《はじ》いてばっかりのくらーい女じゃぞ。芸事は確かに、やたら詳しいがの。縁結びも算盤を弾く要領でやりよるが、色恋とはそういうもんじゃ無かろう」

福禄寿は知ったような事を言った。

「そう言えば、見た感じはつふゆによく似ておるな」

「悪口にしか聞こえませんけど」

口を尖らせる都冬を無視し、寿老人は首を捻る。

「縁結びと言ったら布袋《ほてい》じゃがのう。あやつは中々つかまらんからな」

「和尚《おしょう》に頼み事は無理じゃろ。――よし。ここは一つ、儂らがなんとかしてやるか。このままでは、あんまりにも都冬が可哀想じゃし」

福禄寿は懐手を崩すと、ピシャリと膝を叩いた。

「む？」空中を漂っていた寿老人がピタリと止まって福禄寿を見つめる。

「菓子はこれからも沢山貰うしのう」と福禄寿が小声で付け足す。

「な、何をするんですか？」

「決まっておろう。恋じゃ、愛じゃ」

「あ、愛？」

「こう見えても、昔は幾つもの男女を結び付けたもんじゃぞ」

「お二人は恋愛成就の神様でもあるという事ですか？」

「うむ。まあ正確には違うんじゃが、福徳、幸運というものはつまり、そういう部分も内包しておるわけじゃ」

「――はあ」

就職は内包していないのだろうか、と都冬は心の中で呟く。

「仕方ないのう。つふゆの為に一肌脱ぐかの」そう言って寿老人は袖を捲《まく》った。

――本当に、そんな願いが叶うの？

半信半疑にも拘らず、都冬の心臓は激しく脈打ち始めた。

そんな上手く行くはずが無い。そう思いながらも都冬は、学生時代の知り合いである仁谷《にたに》の顔を思い浮かべていた。

仁谷君と相思相愛に――想像すると、自然とにやけてしまう。

福禄寿と寿老人は炬燵の上に胡座をかくと、大黒天を呼び出した時にそうした様に、手を組んでむにゃむにゃと何語かを呟いた。一体何が起こるのだろう、と都冬は怯えながら眺めていたが、風が舞い起こったり、部屋の物が飛んだりといった変化も無く、二柱は「ふう」と息を吐くと、組んでいた手を外した。

「茶でも飲もうかのう」福禄寿が片手で肩を揉みながら言う。

「そうじゃな」と寿老人が頷く。「つふゆ、用意するのじゃ」

言われるがままお茶を注ぎ、お茶請けとしてわさビーフを出した。二人とも口にした途端、わさびの辛さに目を丸くしていたけれど、二口、三口と食べ進めるにつれ慣れていった様で、「これは凄い発想じゃ」「美味《うま》過ぎる」とべた褒めだった。

一体、さっきのお祈りのような儀式は何だったのだろう。

いつまで待っても埒《らち》が明きそうにないので、思い切って尋ねる事にした。

「あの――」都冬が口を開いた瞬間、携帯電話の着信音が鳴り響く。

「なんじゃ？」

神様たちが驚いて辺りを見回している。都冬は鞄から携帯電話を取り出した。ディスプレイには仁谷太一《たいち》と表示されていて、途端、都冬の心臓が跳ねた。

「お、あれは電話じゃ。儂は知っておるぞ」寿老人が得意げな顔をする。

「儂だって知っておるわ。つふゆ、相手は意中の人からかの？」

福禄寿が興味津々と言った面持ちで尋ねてくる。都冬は首を小刻みに縦に振りながら電話に出た。

「ぼ、ぼしもし」

久しぶりの第一声が変な声になってしまった。唸《うな》るような声を聞いて、電話越しの仁谷は少し戸惑っている様子だった。

「……もしもし、榛名さん？」

穏やかな声が受話器越しに響く。とても懐かしい響きだった。

興味津々とばかりに見つめてくる神様たちの視線を避けるために、都冬は急いでアパートの外へ出た。部屋着以外羽織《はお》っていなかったので、かなり冷える。

「仁谷君、お、久しぶり、です」

都冬も仁谷もお互いに苗字で呼ぶ。これが都冬と仁谷の距離だった。

「あの、ちょっと、付き合ってもらいたい所があるんですけど……最近は忙しいですか？」

「いや、まあ、最近はそれほどでも無いですかね」つまらない見栄を張った。

「じゃあ、いきなりなんですけど、明日の夜なんかは、どうでしょう？」

「明日の、夜は――」

スケジュール帳は全て空白の癖に、都冬はさも色々な予定が詰まっております、という振りをした。

「丁度、大丈夫です」何が丁度なのか。本当は嬉しいのに。

「良かった。じゃあ、明日会いましょう。場所はね――」

待ち合わせの場所と時間を告げると、よろしくね、と仁谷は言って、電話は切れた。通話が終わってもしばらく心臓の音がうるさかった。

「どうじゃった？　誰からじゃった？」

気を静めて部屋に戻った都冬に、福禄寿はやけに楽しそうに言った。

「仁谷君でした」喉がカラカラだった。都冬は冷蔵庫から麦茶のペットボトルを取り出し、一気に飲む。

「にたにくん？」寿老人が復唱した。「それが、つふゆの想い人かの」

「いや、まあ、想い人だなんて、そんなあれじゃ無いですけどね」

都冬は麦茶のペットボトルを抱いたまま、グフフと笑った。神様たちが「うへ」と苦い顔をする。

「明日の夜、呼び出されちゃいましたけどね」

「おお、逢い引きかの！」

「逢い引きですかね!?」

「そんな妖怪みたいに鼻の下を伸ばしてたら、にたにくんとやらも逃げ出すわい」

浮かれている二人を横目に、寿老人が小さく呟いた。


赤坂《あかさか》。都冬にとって、表参道に引き続き縁の無い街だ。出掛けに、親友の環から再びご飯のお誘いがあったのだけれど、都冬はそれを辞退した。彼女からの誘いを断った事がほとんど無かったので、環は驚いていたが、彼女が何と言っていたか、そもそも都冬は自分が何と言って電話を切ったのか、よく覚えていなかった。

仁谷と会うのは、もちろんそれなりに好意を抱いていた人物だからではあるが、それ以上に、都冬の中では、何かをしなくちゃいけないという焦りにも似た感情が芽生えていた。

このままではいけない、自分は変わるのだ――そんな想いが、都冬を目的地へと急がせる。

夜も良い時間であるから、駅の側《そば》の通りは賑わっている。場所柄か、仕事を終えたサラリーマンや外国人の姿が多い。老舗らしき和菓子の店もあれば、そのまま海外に持っていっても違和感がなさそうなカフェもあり、どうにもつかみ所の無い街だった。

まだ予定の時刻まで時間があるので、都冬は銀行へ向かった。割り勘は当然、仁谷が財布を忘れたとしても耐えられるだけの余力を持っておく必要がある。そして食事の後は——と、そこで都冬は首を振って思考を止め、自分を諌《いさ》める。まだ蓄えがあるかと思われていた通帳の残高は予想以上に疲弊していた。都冬は溜め息を吐きながら、機械から吐き出された札を財布にしまう。

仁谷が指定したカフェは、表通りの晴れやかな賑わいから離れた、人通りの少ない場所にあった。子供の頃に買ってもらったおもちゃの家みたいに可愛らしい外装で、さすがの都冬でも入る事が躊躇《ためら》われる。二十代も半ばを超えた男女が逢い引きに指定する店ではない気がしたけれど、そもそも都冬には、逢い引きにふさわしい店がどういう店なのか、具体的には分からなかった。

深い緑色のドアが都冬を出迎えている。ドアの中央には「ラフカ」という看板がぶら下がっていた。この店の名前なのだろう。都冬は一つ深呼吸をし、思い切ってドアを開けた。

大きなクマのぬいぐるみ、とか、レースや花柄のカーテンなどを想像していたけれど、思ったよりも店内は地味な装飾だった。木製の床と白い壁が綺麗に合わさった、雰囲気の良い店だ。レジの横には雑誌の切抜きが張られている。値段の安いランチの特集で記事になったようだ。

入り口とは反対の壁側、端の席に仁谷が座っていた。一見しただけで、相変わらず栄養不足な体型をしている事が見て取れたので、都冬は少し笑った。店内の席はほとんど埋まっていて、少し騒がしいくらいだった。

仁谷は都冬の来店に気付き、小さく手を挙げる。

「突然呼び出しちゃって、ごめん」

「あ、いや、全然、暇だったです」

頭を下げた仁谷を見て、都冬は思わず真実を伝えてしまう。

すると、仁谷は頭を下げた事でずれた眼鏡を直しながら「良かった」と微笑んだ。目を三日月のように細め、口の端を小さく曲げる、独特の笑い方だ。その笑顔を見た途端、都冬は一瞬にして学生時代の懐かしい感覚に包まれた。

東京の外れにある大学で美術を専攻していた都冬が、演劇学科の仁谷と出会ったのは、大学三年の夏だった。演劇学科の学生から、劇中に使用する絵を描いて欲しいという依頼を受け、都冬が所属するゼミの教授は「適任は榛名しかいない」と都冬を指名した。

「どうして私なんですか？」

そう尋ねた都冬に対し、「お前は暇そうだから」と教授は答えた。

実際、都冬は暇だった。他の学生たちがそれぞれ自分の個性を出しつつある中で、都冬だけがぼんやりと学生生活を送っていた。このまま絵ばっかり描いていて良いのか、ちゃんと就職に向けて活動した方が良いんじゃないか、そんな事を考えるだけで何一つ行動に移してはいなかった。

結局、「そう言えば榛名は出席数が——」という出だしから始まる一連の言葉によって、都冬はその日のうちに、演劇学科が稽古に励んでいる一階のホールへと向かう事になる。

大学に在籍して、初めて演劇校舎に入った。入ると直ぐ目の前に、黒く塗られた大きなドアが現れる。演劇学科が公演などで使用するホールへ入るための大扉だ。

都冬はその扉を思い切り引っ張った。

黒いリノリウムが敷かれたホールの舞台には、ジャージ姿の学生が台本を片手に体を動かしていた。客席では、偉そうにふんぞり返っている教授らしき中年の男性が、暴言にも似た檄《げき》を飛ばし、その横にいる数人の学生が政治家の秘書みたいに――実際には見た事がないのだけれど――必死にメモを取っていた。

舞台監督のナントカさんが都冬の存在に気が付き、演出を担当しているナントカ教授に挨拶をする。教授は都冬に描いて欲しい絵のコンセプトを偉そうに述べ、絵を描くにあたって、画家役の役者と少し話をして欲しいと言った。断る理由も見当たらず曖昧に返事をしていると、教授の隣に座っていた学生が「仁谷」と名前を呼ぶ。

台本を床に置いて、正座をして睨みつけていたのが仁谷だった。

手も、足も、体も、何もかもが細く、手作りのマッチ棒みたいだ、と都冬は思った。

「あ、はい」

仁谷は急に上を向いたせいでずれた眼鏡を直しながら立ち上がった。

燃えないマッチ棒だ、と都冬は第一印象に付け足した。

仁谷が訥々《とつとつ》と語った絵描きの性格や物語を基に、都冬は依頼された絵を描き始めた。けれど、作業はすぐに難航してしまう。何度も筆を動かしたけれど、どれもこれも無個性で、とても名のある絵描きの絵には思えず、期限は迫っているのに一枚も完成しなかった。

学生食堂で一人昼食を食べていた仁谷をつかまえて、都冬は少しも作業が進んでいない事を伝えた。もし可能ならば、違う人に頼んで貰うつもりだった。

「それに私、そんな絵も上手くないんです。だから期待に沿えるような絵を描く自信が無くて」

仁谷は食事を中断し、ふんふん、と都冬の言葉に耳を傾けた。

「私よりも、周りの人たちの方が絵も上手いし、個性的なんですよ。私なんて、絵だけじゃなくて他も色々と駄目で。良い所なんか一つも無い、駄目駄目《だめだめ》人間と言うか」

「駄目駄目人間？」

都冬の表現が気に入ったのか、仁谷は再び「駄目駄目人間」と呟いた。

「そうなんです。駄目駄目なんです」

都冬はそう言うと、依頼を断るつもりが、うじうじとした悩み相談になっている事に気付き、急に恥ずかしくなった。

「内角の和ってありますよね」

だから、仁谷が突然何を言い出したのか、都冬には全く理解できなかった。

「ないかく？　あの、衆議院とか――」

「ああ、いや、そっちじゃなくて、算数の話」

「算数。ああ、はい。内角の和、ありますね」

「僕も子供の頃から、自分は周りとは違うんじゃないかって悩んでたんだけど……」

そこで、仁谷は一つ間を置いた。

「例えば、三角形の内角の和は百八十度です。どんな形でも三角形ならば全て。正三角形も二等辺三角形も直角三角形も。全部。これは四角形も同じで、どんなに平べったい四角形でも、とてつもなく大きい、富士山みたいな四角形でも内角の和は全て三百六十度。不思議ですよね」

都冬は小学校で習った授業をおぼろげに思い出す。そう言われると確かに不思議な気がした。

「人間だって、そうなんですよ。人間と言う形。日本人とか、白人とか、黒人とか。尖ってる人、鈍い人、すぐへこむ人、怒りっぽい人。おかしなものが見える人。それと――駄目駄目人間。いろんな形があって、それが全部で幾つの角があるかは分からないけど、内角の和は、誰もが皆同じなんじゃないかって、僕は、そう思うようにしてるんです」

仁谷は、詩の朗読でもしているかのように、滔々《とうとう》と言葉を置いた。都冬の頭の中にその言葉たちが優しく刻まれていく。

「だから、都冬さんの、自分が駄目だと思っているその角とは違う部分は、きっと凄い角度ですよ。駄目な角が多ければ多いほど、どこかの角は凄い事になってるんですから」

仁谷は目を三日月のように細め、口の端を小さく曲げて笑った。

――マッチ棒は、火をつける道具なんだなあ。

都冬はその笑顔をまじまじと見つめた。

それから都冬はまるまる三日かけて、目一杯自分らしい絵を描いた。


「ご注文は、いかがなさいますか?」

女性店員の言葉で、都冬は我に返った。この店の外装にピッタリの、目の大きな可愛らしい店員だった。

「ああ、ええと、どうしよう」

お腹が減っていたので、都冬はメニューをチラと覗いて、カルボナーラを注文した。

「榛名さん、食べるの？」

「あ、いや、夕飯食べてなかったから……」

仁谷があまりに驚いているので、都冬は動揺する。

――はらぺこ女だと思われたかしら。

仁谷はしばらく逡巡《しゅんじゅん》し、ホットコーヒーを注文した。女性店員は「かしこまりました」と丁寧に頭を下げ、厨房へオーダーを伝えに行った。

仁谷は落ち着かない様子で、店内をキョロキョロと見回している。どうしたのか訝しんでいると、都冬は、これが逢い引きである可能性を秘めている事を思い出した。

――神様たちの力が本当なら、これはデートかな？

仁谷は緊張している。それは鈍感な都冬でも理解できた。

仁谷の緊張が、机の距離を越えて伝わって来る。都冬の心臓辺りの血液が蒸気機関みたいに忙しく循環し始めた。

「榛名さんは――」仁谷がおもむろに口を開く。「榛名さんは今も絵を描いてるんですか？」

「……絵は、もう趣味程度でしか描かなくなったなあ」

「そうなんだ」

「仁谷君は、まだ役者を？」

都冬の問いに、仁谷は首を振った。

大学卒業後も自己表現を続けていける人間は、あまり多くない。それぞれが妥協したり、諦めたり、何らかの見切りをつけていく。そういうものだった。

「じゃあ、今はもう演劇からは離れてるんですか」

都冬がそう言うと、仁谷は「あー」と困った顔をした。

「関係――無くは無いんだけど……いや、関係無いのかな。うん」

言葉を濁している。きっと、やりたい事をやれているわけでは無いのだろう。

聞かなければ良かったな、と都冬は後悔した。

あの頃は誰もが、自分は何者にもなれるのだと信じていた。私もそうであったし、きっと仁谷もそうであっただろう。

でも、現実は本当に甘くない。

あの頃は輝いていた――日を追うごとに感じるようになり、だから、今の自分の姿を誰かに見られてしまうことが、本当に嫌なのだ。

落ちぶれたね、と思われてしまいそうで、それが嫌なのだ。

だからだろうか、都冬は、仁谷が思ったように生きていけてはいない事を知り、聞かなければ良かったと思う半面、どこか安心してしまった。

同志よ、と思ってしまった。とても失礼な話だ。

「榛名さんは？」

「私は、今は、神様たちと一緒に、日々を漫然と過ごしてます！」なんて言えるはずも無い。けれど、無職です、とも言えない。

結局、都冬も言葉を濁した。

店員がコーヒーを運んでくる。仁谷は静かに店員の動作を眺めている。都冬もそれに倣《なら》い、ぼんやりとコーヒーカップを目で追った。

カップを置きざま、店員に睨まれた気がして、都冬はハッと我に返った。

「ごゆっくりどうぞ」と言い残し、店員は去って行く。

それから背中に視線を感じ、振り返るが、先ほどの女性店員はすでに他のテーブルの様子を窺っていた。可愛らしい顔立ちの店員だけれど、店の内装とは何となく合っていない気がして、どうにも浮いて見えた。

――何だか、落ち着かないな。

どうして仁谷が自分を呼び出したのか、その理由が分からないから……だけではない。何故か、そわそわしてしまう。

仁谷は相変わらず緊張した面持ちで、何かを窺うように店内を眺めている。

彼の用事は何だろうと頭を働かせると、自然と言葉少なになり、微妙な沈黙が二人の間に流れる。

そこへ、カルボナーラが運ばれてきた。胡椒の効いた特有の匂い。多少乱暴に置かれた事が気になったけれど、少しでも沈黙が破られた事に、都冬は感謝した。

「いただきます」都冬は正面を気にしながら、カルボナーラをほおばった。

「味はどうですか？　おかしくない？」

仁谷が怯えるように質問をするので、都冬は噴き出しそうになった。

「そんな、名も知らないキノコを食べてるわけじゃないんだから」

「そ、そうだね。美味しいなら、良かった」

やっぱり、ちょっと変な人だな、と都冬は心の中で笑った。

「一つ確認なんですけど」食べ終わる頃を見計らって、仁谷が小さな声で言った。

「女性からして、こういう場所で告白って、どう思います？」

テーブルに置かれていたナプキンで口の端を拭いていた都冬は、思わず動きを止めた。

——これは、告白？　これってストレートなの？　回りくどいの？

都冬はとにかく必死に頭を回転させ、質問に答えた。

「告白されたら、それは嬉しいんじゃないかな」

「知らない人からでも？」

「知らない人？　どうだろう」

仁谷の真意が都冬には測れない。「……やっぱり、嬉しいんじゃないですかね」

答えを聞いた仁谷は「大丈夫なのかな」と神妙な面持ちで頷いた。やがて「よし」と言う声と共に、仁谷はコーヒーを一気に飲み干した。

その目は決意に満ちている。都冬はどうすれば良いか分からなくなり、ただただ脈打つ心臓の音を聞いていた。

「お食事後にデザートなどはいかがですか？」

女性店員がやってきた。「失礼します」と言いながら、カルボナーラの食器に手をかける。

都冬はまた、その動きを目で追っていた。

白く綺麗な手。手の向こうのテーブルが透けて見えるような——。

突然、その白い手に細い手が重なった。食器がガチャと音を立てる。

仁谷は自分の手を店員の手に重ねたまま、厳しい表情で立ち上がった。

「ま、まむ、真弓《まゆみ》さん」仁谷は声を張った。

店内はしんと静まり、天井のスピーカーから流れる穏やかなBGMがやけに大きく聞こえた。

「は――はい」

女性店員は少し怯えているのか、声が上ずっている。

仁谷は店員の手を持ち上げると、大きく息を吸った。

「好きです。僕と付き合ってください」

店内から「おぉ」という声が漏れる。

女性店員はしばらく顔を伏せた後、しっかりと仁谷の目を見据えた。

「こんな私で、良いんですか？」

仁谷はゆっくりと頷き、どこか芝居掛かった口調で言った。

「もちろんです」

女性は片手で仁谷の手を握り締め、もう片方の手で自分の顔を蔽《おお》った。

その瞬間、来店した客たちが一斉に拍手を送った。皆一様に笑顔で二人を祝福している。

二人は初々《ういうい》しく手を取り合い、照れたように笑いながら客に頭を下げる。

都冬は座ったまま、店内で起こった小さなドラマを呆然と眺めていた。


帰り道は孤独だった。風は冷たかった。

暗い夜道をやんわりと照らす、明るい家々の光があまりにもまぶしくて、それが都冬の心の中にいっそうの影を作る。

あんなシーン、見たくも無かった。自分以外の全員が幸せを感じる光景。

みじめだ。いくら溜め息を吐いても、わだかまりは喉に詰まり、再び胃の中に戻ってくる。ギシギシと悲鳴を上げるアパートの階段を上り、ドアを開けた。

神様たちは、またノートパソコンに向かっている。

「ぴーはどこじゃ」「福禄の足元のとこじゃ」「むお？　画面に『ん』ばっか出ておるぞ！」「えぬを踏みっぱなしだからじゃ！」

キーボードに這《は》い蹲《つくば》りながら、二柱の神様が必死にキーを押している。昔流行ったツイスターゲームのようだ。

「あっ、つふゆ」福禄寿は目を輝かせた。

「どうじゃった？　上手くいったかの」寿老人は自慢げだ。

「……別に、どうもこうも無かったです」

「あれ、なんも起こらんかったんか……」

「じゃったら、どうしてそんな顔をしとるんじゃ」

福禄寿が肩を落とし、寿老人が首を傾げる。

おかしいのう、力が弱まったかのう、などと、とぼけたように呟きあっている神様たちを見ていると、都冬は、胃からせり上がって来る思いを堪える事が出来なかった。

「神様たちのせいです」

「え？」

「……仁谷君が私に電話を掛けたのは、確かに神様たちの力なのかも知れません。でも、それだけでした。仁谷君は別に私に好意を寄せていた訳ではなく、あの女性店員に告白するつもりだったんです。そして、その告白の後見人に私を選んだ……いや、神様たちの力によって、選ばされたんです。神様たちのせいで、見たくも無いシーンを見る羽目になってしまいました」

「ど、どういう事じゃ」福禄寿が目を丸くする。

今の説明では伝わらなかったかもしれない。でも、都冬にはそれ以上詳しく説明する事は出来なかった。話せば話すほど、浮かれていた自分が愚かに思えてくる。

どうして自分は、こうもついていないんだろう。

都冬は、自分が置かれている状況の全てが嫌になった。

神様がやってきたって、何も変わらないじゃないか。駄目なままじゃないか。

「つふゆ、大丈夫か」福禄寿がぼさぼさの眉をひそめる。

「大丈夫じゃないです。神様の力なんて、全然大したことないじゃないですか」

「まあ、落ち着けつふゆ。次こそは成功させて見せるぞ。なに、にたにくんなんかより、もっと良い男を――」寿老人はそう言いながら、ふわりと近付いた。

「いいから、もう出て行ってください！」

都冬は大きく手を振った。その風圧に煽られ、寿老人は大きくバランスを崩し、炬燵机の上に落っこちていく。

「な、何をするんじゃ！」

「これつふゆ、老人はいたわらんと――」

福禄寿はそこで言葉を切った。都冬を見て目を丸くしている。

「つふゆ、どうした」

「え？」

「どこか、痛むのかの？」

「何言って――」

その時、都冬は下瞼《したまぶた》の辺りが妙な熱を帯びている事に気がついた。

「あ、あれ？」

熱は頬を伝《つた》い、唇や顎《あご》へと流れていく。

都冬はいつの間にか、ぽろぽろと涙を零《こぼ》していた。

二柱の神様は呆然とその顔を眺めている。都冬は慌ててベッドに飛び込み布団を被った。

「つふ――」

何かで口を塞がれたように、寿老人の声がもごもごと途切れた。福禄寿と寿老人が小さな声で何か言い合っているのを、都冬は布団越しに微かに聞いた。

「つふゆ、儂ら用事があるのでな、ちょっと出掛けるからの」

福禄寿の声が聞こえた。しばらくすると、部屋の中で物音がしなくなった。

都冬はそれでも、声を押し殺して泣いた。

涙は止まらなかった。仁谷の顔が浮かび、消える。そんな映像がまぶたの裏で何度も繰り返された。枕に頭を強く埋め、唇を噛む。

仁谷に振られたから悲しいのだろうか——泣きながらも都冬は、どこか冷静に分析してしまっている。

それだけじゃない。

彼は幸せになった。自分は残された。

駄目なのは自分だけだった——その事実が悲しいのだ。

では、仁谷も自分と同じく、駄目な人生を歩んで欲しかったのか？

そんな事は無い。そんな筈は無い。自分はそんなに嫌な人間じゃない。

幾らそう思おうとしても、振り払えない。それが悲しかった。

学生時代、仁谷が語った内角の和の話——それは確かに、悩んでいた都冬を大いに励ます内容だった。

しかし、あるはずだと言う凄い『角』は、大学を出ても、働いてみても、未だに見付からない。他人の良い『角』はすぐに見付かるのだけれど、自分の物は、まるで分からなかった。むしろ、他人の『角』が分かれば分かるほど、自分と比較して落ち込んでしまう。

「だから、都冬さんの、自分が駄目だと思っているその角とは違う部分は、きっと凄い角度ですよ。駄目な角が多ければ多いほど、どこかの角は凄い事になってるんですから」

仁谷はそう言っていた。

けれど、そんなものは無い。この先だって見つからない。自分はずっと独りで、誰とも何も分かち合えずに老いていくのだ――そんな思いが、頭の中をぐるぐると渦巻いていく。

「あー、あー」

都冬は出来るだけ間抜けな声を出した。全部、神様のせいだ。それで自分が泣くなんて、馬鹿らしいじゃないか――そう思う事にした。

大きく息を吸うと、呼吸が震える。枕はすっかり涙を吸い込み、顔を動かすと肌が濡れて気持ちが悪い。

寝そべったまま、頭まで被っていた布団をどかし、炬燵の方へ顔を向ける。

部屋の電気は消えていた。

パソコンのモニターの明かりが、暗い部屋に意味ありげな色を付けている。

突然、都冬の視界が黒い影に覆われた。そして、柔らかく生暖かいものが都冬の顔を舐めた。小さな羽音が頭の上に止まり、都冬のこめかみを優しく突く。

都冬はその温かみを優しく抱きしめた。

「ありがと」

動物たちに言葉が通じるのか分からないけれど、都冬は礼を言った。

——神様たちに、ちょっと、酷い事を言ってしまったかな。

いくらなんでも、言い過ぎた。神様たちも、悪気があったわけではなく、よかれと思ってした事なのだ。ただ、そう、神様たちの力が口ほどでも無かっただけだ。

都冬は心の中でそう悪態を吐き、そして、小さく笑った。

ブログの更新、しなくちゃ。

都冬はベッドから這い出て、煌々と光るパソコンのモニターを覗いた。どうせ一、二行で詰まっているだろうと思っていた都冬の予想は外れた。

画面いっぱいに開かれたワードパットに、結構な文量の文字が広がっている。

題名・「菓子」

現代の一文菓子を食す機会に恵まれ、此れ幸いと食す也。美味。美味と云うより珍味と云った方がより的確であろうか。現代人は飢えを知らぬと大黒や布袋が云っていたが、我に云わせれば彼等は上を知らぬ。詰まり、天井知らずに旨い物を作る。此の国が栄えた理由を垣間見た。唯一つ気懸りたるは、河童海老煎の名である。海老で或る事は形状と味から察する事が出来るが、河童は何処に関係しているのか。昨今、河童の数が減少していると仄聞したが、よもや此れの所為では無いかと我は訝しんでいる。此れが、人と人にあらざる者の間で、重大な問題に発展せんんんんんんんんんんんんんん

変な形で日記は終わっていた。

必死になってキーボードを押していた神様たちの姿を思い浮かべる。これほどの文字数を打つのはさぞかし大変だっただろう。

都冬は神様たちの情熱に感心しつつも、呆れて笑った。この日記はちっとも自分たちの宣伝にはなっていないけれど、良いのだろうか。

とりあえず、後半のおかしな部分を修正する。それから、『大黒生もまた、素晴らしく美味しい麦酒である、是非飲むべきである、喉越しが爽快なのである』と書き加え、『狸々という妖怪は良い妖怪だけど危険な部分もあるので底の抜けた桶だの樽だのを常備しておくべし！』と締めた。

最早《もはや》、このブログの趣旨が全く分からないけれど、もう仕方がない。

第三章

賭博黙示録ダイコク

仁谷に呼び出されてから数日間、都冬はぼんやりとした日々を過ごした。もともと活力の無い暮らしぶりではあったが、輪を掛けてひどかった。家から一歩も外へ出ようとせず、お腹が減っても何も作らず、コンビニにさえ出掛けるのが億劫だからと、神様たちのお供え用に用意していたお菓子をちびちびと頬張って飢えをしのいでいた。

今日も今日とて、布団の中でごろごろと惰眠を貪《むさぼ》っていると、都冬は誰かに名前を呼ばれている気がして、眠りから覚めた。

「つふゆ、出掛けるぞ」

福禄寿か寿老人のどちらかがそう言った。寝ぼけているので、声の判別が付かない。

「……出掛けるって、どこへ？」

「呼ばれとるんじゃ。急いで用意せい」

「急いでって言われても……」

寝起きだからか、体がふわふわと浮いた感覚に包まれている。声の方向へと目を遣りながら、枕元に置いてある眼鏡へ手を伸ばした。しかし、いつもそこにあるはずの眼鏡に手が届かない。あれ、おかしいなと枕元へ首を向けると、眼鏡は随分と遠いところにあった。

いや――眼鏡だけではない。枕も、布団も、読みかけの漫画も、寝ていたはずのベッドも、その全てが遠く離れている。

「……え？」

眼鏡も、ベッドも、いつもの場所にある。にも拘らず、都冬はそれを見下ろしている。

そこで初めて、都冬は自分の体が宙に浮いている事に気がついた。

「ちょっと、え、何？」

都冬は慌てて、水中でもがくように、体を捻って眼鏡へと手を伸ばし、眼鏡のツルの端を何とか掴む。その間にも都冬の体はどんどんと浮かび上がっていき、眼鏡を掛けて上を見ると、もう天井がすぐそこまで迫っていた。福禄寿と寿老人は、部屋の中央で座禅を組みながら、都冬と同じようにぷかぷかと浮かび上がっている。

「て、天井が――」

神様たちに危機を知らせようと口を開いたその瞬間、引っ張られるようにして、都冬の体は一気に持ち上がった。ぶつかるかに思えた天井をするりとすり抜け、屋根裏、そして屋根を越え、更に上空へと浮き上がる。地上から十数メートルほどの高さに達したところで、その上昇はピタリと止まった。

空は、ちぎれたように漂う雲の存在が惜しまれるほどの快晴だった。

飛んでいる。浮いている。

都冬は今の今まで寝転んでいたアパートを見下ろした。随分小さい。青い屋根は長年の風雨に晒されたからか、所々黒く煤《すす》けている。アンテナは今にも落ちそうだ。アンテナの横に、黒ずんだテニスボールが引っかかっている。隣の家にある、いつも吼《ほ》え掛けてくる犬の小屋、時折使っている、コンビニよりも安い自動販売機、引っ越しの時に伺ったきり行っていない大家が住む家――。

見下ろす町は、どこまでが自分の住んでいる町なのか把握できないくらい、色々な建物がぎゅうぎゅうに詰まっていた。

――ネットの衛星写真で見たのと、ちょっと違うな。街に動きがあるからかな。

怖くてどうしようもないのに、都冬は頭の隅でそんな事を考えていた。恐怖心を和らげるために、脳が余計な事を考えようとしているのかもしれない。

けれど、すぐにそんな余裕も無くなった。

都冬の体が、勢い良く斜め下へと引っ張られた。体中の臓器が、落ちる方向とは反対側にへばり付くような感覚を抱き、そのまま、隕石みたいに落下していく。地面が凄い速さで近づいて来て、都冬は思わず目を閉じた。

派手な音がして何かにぶつかった。衝撃が体に伝わる。痛みは——無い。

都冬は恐る恐る目を開けた。しかし、目の前は真っ暗で何も見えなかった。

ひんやりとした感触が四方を蔽《おお》っている。暗闇の中で、都冬は今自分のいるところが、箱のような狭いものの中だと悟った。

しばらくして、目の前に一筋の光が差し込む。金属と木とが軋む音と共に、光の筋は幅を広げ、やがて前方に四角く切り取られた景色が広がった。

「お、ちゃんと坊やも一緒か。こりゃ気が利くで」

大きな顔の大黒天が、光の中にひょっこりと顔を覗かせる。

「なんじゃ、呼び出したのは大黒か」福禄寿と寿老人がぽーんと外へ出て行く。

都冬は壁に手を突きながら、よたよたと這い出した。

正面には銀色の賽銭箱が置かれている。その右側に、頭頂部が突き出た老人の石像が立っていて、高らかに杖を掲げている。

福禄寿の像だ。

ここは先日、都冬が福禄寿にお参りをした神社だった。先ほど都冬が入っていたのは、福禄寿が祀られている小さなお堂だった。

「なんや、坊やは随分と斬新な格好やな」

大黒天が都冬の顔をジロジロと見ている。都冬は寝起きのジャージ姿——しかも高校時代のサツマイモ色のジャージ——で、化粧の一つもしていない。

「あ、いや、これは……いきなり連れて来られたから……！」

「何を言っとる。儂ら何度も起こそうとしたんじゃぞ」寿老人は少し声を荒らげた。

「いつまでもグースカブースカ言っとった」と福禄寿は呆れている。

「えっ、そんなに寝てました？　ブースカ？」

「グースカピースカじゃ」

「ピースカって何ですか？　鼻の音？　私、寝てる時そんなに煩《うるさ》いですか？」

「ワシも随分声掛けたんやけどな。坊やが一向に反応せんから、仕方のう福禄はんらに出て来てもろうたわけや」

大黒天はそう言って手に持った小槌をぽんぽんと叩いた。ぴゅるる、と風が巻き起こる。夢の中で何度も呼ばれていた気がしたのは、大黒天の声だったのだろうか。

「それじゃ、大黒はつふゆに用事かの？」

「いや、あんた等《ら》にも用はあるけどな。いっとう大事な用件があるんは坊ややな」

「お主、さっきから坊やって言っておるが、何じゃそれは」寿老人はつるりとした石造の頭に腰を下ろしながら言った。福禄寿が少し嫌そうな顔をする。

「坊や言うたら、嬢ちゃんの事やないか」

「だから、何じゃそれは」

「その理由をこれから教えたるわ。嬢ちゃん――坊やに頼みたい事と関連しとるしな」

「私に頼みたい事……ですか？」

「お主、こないだぶろぐを頼んだばかりじゃろうが」

「なんやねん。人間への頼み事は一回までって決まっとるんかい。人間かて二つも三つも一緒に願い事言うんやから、こっちも一つくらい増えたってええやないか」

　大黒天は急に早口になって反論する。

「そうじゃ大黒！」今度は寿老人が声を荒らげた。

「なんやねん、急にデカイ声だして」

「お主、猩々なんぞにつふゆの事を言ったじゃろ！　お陰で奴が儂らのとこに来て散々じゃったわ」

「猩々？　猩々ってなんや」

「夜右衛門の事じゃ」福禄寿が補足する。

「夜右衛門！　こらまた、懐かしい名前が出てきたなあ。あいつ元気にしとるんかい」

「何を言っとるんじゃ。あの妖怪は大黒から聞いたと言うておったぞ！」

「そっちこそ何言ってんねん。ワシ、夜右衛門とはここ数百年会《お》うてないで」

「ホンマか！」寿老人はここ一番の大声をあげた。

「なんで関西弁やねん。ホンマやホンマ」

「あの……その話って、もともと福禄寿様が言い出したんじゃありませんでした？

夜右衛門はそんな事言ってなかったような」

ピリピリとした二人の間に、都冬は割って入る。

「……そう言えば、儂だったかも知れん」福禄寿がつるつるのおでこを撫でる。

「ぬ。そうだったかの」

「酷いで寿老はん。酷い言いがかりや」

「じゃあ、あやつは誰に聞いてつふゆの所に来たんじゃ」

「そないな事ワシに聞かれても困るがな。それより、ワシのこの傷ついた心をどう癒してくれんねん」

大黒天が再び攻勢に出た。

「……一体、何の用事なんじゃ」仕方なし、といった体で寿老人が尋ねる。

「あんな、ワシな、今度恵比寿と勝負したろ思うてんねん」

「勝負？」

「何を言っておるんじゃ」福禄寿は鼻で笑った。

「別にどつきあいするんやないで。ワシ暴力嫌いやし。博打や、博打。博打であいつへこまして、不遜な態度取ってすんませんでしたって言わしたんねん」

「神様が、博打をするんですか？　良いんですか？　そう言うの」

「そらするやろ」

大黒天は平然と頷く。

「例えばそうやな……奈良《なら》の道祖神《どうそ》社と御霊《ごりょう》神社の神さんが博打を打って、負けた道祖神が氏子を全部取られた言うんは有名な話やで」

「そうなんですか？」

福禄寿を窺うと、老神は大きく頷いた。

「儂も寿老とちょこちょこ賭けをしとるぞ」

「言うても、儂らは大した物は賭けてないがの」寿老人は自虐めいた笑いを浮かべている。

「とまあ、ワシらは結構、賭け事が好きなわけや。恵比寿も真面目腐った奴やけど、根は博打好きやから、誘いをかけりゃ乗ってくるはずやで。ほんで、そこで坊やに手《て》伝《つど》うて欲しいっちゅうわけやな」

「でも、私、博打なんてやった事ないです」都冬が言うと、大黒天は目を丸くした。

「ホンマか？　競馬も？　パチンコもやらんの？」

都冬は頷く。自分が苦労して貯めたお金を賭けるなんて考えられなかったし、無職の今では尚更出来るはずもない。

「珍しいやっちゃなあ……。まあ、ルールさえ知ってりゃええねん。要するに数合わせや」

「どうして、私なんですか？」

「そらな、今の坊やは運がええからや」

「運が良い？　私が？」

「そらそうやで。考えてもみい。どこの世界に七福神の三柱と知り合いやっちゅう人間がおるねん。運が良い以外に考えられんで」

そう言われると、そうなのかもしれない。でも、仁谷君の件もあるし、良いことなんてちっとも起こっていないので、そうは思えない。

「それにこれはワシの為だけやないんやで。奴に勝てばワシの力も仰山増えるわけやろ？」

「そうなんですか？　負けたら謝るだけなのに？」

「そやで。謝るちゅうんはそういう事や。恵比寿も大人しゅうなるし、ワシの力が増えれば坊やかて悪いようにはせんがな。どうせ、ブログは上手くいってへんのやろ？」

どうせ、という言葉が引っかかったが、都冬は首を縦に振る。確かに、ブログだけでお酒の売り上げを伸ばせる自信は全く無かった。そもそも大黒生にお目にかかった事すらないのだ。

「一体、何をするんですか？」

「坊やもとことん察しが悪い子やな。博打で『坊や』言うたら一つしかないやろ」

大黒天は眉を寄せた。それでも都冬が首を傾げていると、「ホンマに現代の子なん？」と溜め息を吐く。

「まさか、麻雀も知らんの？」

「マージャン、ですか。ドンジャラなら子供の頃よくやりましたけど」

「あかん。これじゃ話にならんな」大黒天はそう言って、懐から四角い物を取り出した。

「これで勉強せぇや。何日かしたらお宅に行くわ。そん時ワシの作戦教えたるから」

そう言って大黒天は都冬に取り出したものを押し付けてきた。ひとつは初心者マージャン入門と書かれた本で、もう一つは『麻雀放浪記』という映画のDVDだった。

試しに入門書を何ページかパラパラとめくっている間に、大黒天は「ほなの！」と言い残し、先日と同じように風を巻き起こしながら飛んで行ってしまった。

また、私の了承無しに物事が進んでいく——都冬は溜め息を吐いた。

帰りは徒歩で帰った。

DVDを鑑賞した後、ぱらぱらと入門書をめくったが、なかなか頭に入ってこない。気晴らしにブログを更新しようと管理ページに移行し、何気なくアクセス数をチェックしようとして、都冬の手が止まった。

ブログの閲覧者がここ数日で急激に伸びている。昨日に至っては二万人を超えていた。画面左側にあるブログアクセスランキングでは三位に躍り出ている。

都冬は口をあんぐりと開けたまま、しばらく呆然としていた。

こんな事があるだろうか。名も知られていないお酒を絶賛したかと思えば、いきなり妖怪の話になったり、変な調子で平成のお菓子を賛美するという訳の分からぬブログなのに。

福禄寿や寿老人は、自分たちの神社でさえ一日にこんなに人が来る事は無いと、喜びと悲しみの入り混じった複雑な顔をしていた。しかし、膨大なアクセス数にも拘《かか》わらず、コメントをしてくれるのは九典杏子さんだけだった。

そして、ブログ宛に届いていたメールがさらに都冬を驚かせた。

メールは、タガミ・ブルーイングという会社からで、大黒生の発売に向けて、ブロガー向けの試飲会をすると言う、人気ブロガーの管理者に宛てたメールだった。

都冬が人気ブロガーという評価を受けている事にも驚いたが、何よりも、

「大黒生、まだ未発売だったんだ……」

未発売の商品を、味の予想までして美味しいと宣伝していた事になる。都冬は頬を紅潮させた。向こうの会社には何と思われているのだろう。考えるだけで恥ずかしい。しかし、この試飲会に行ってちゃんとした大黒生の味をブログに記載できれば、売り上げ増加に繋がるかも知れないし、ブログが失敗していると睨んでいた大黒天を

見返すチャンスでもある。参加しますと返事を出した。

ついでにツイッターを確認してみると、こちらも驚く事にフォロワーが八千人に迫る勢いで、先日の都冬のつぶやきは、かなり大勢の人に拡散されている。

おかしな事になっている、と都冬は愕然とした。これはもう、超常現象だ――。

そう感じながら辺りを見回すと、炬燵の上では二柱の小さな老人がインターネット上に神社を建立《こんりゅう》できないかと相談していて、その周りを小さな動物がうろちょろしている。今度神様と博打をする自分の身の上を考えると、この程度のことは、それほど大したことでもないのかも知れない。


タン、タンと場は進む。

大黒天が麻雀牌を取り、顔を顰《しか》め、卓に置く。向かいでは恵比寿が涼しい顔をしている。

都冬の正面、卓から少し離れた所で腕組みをしている毘沙門天《びしゃもんてん》は、厳しい顔をしながら勝負の様子を眺めている。都冬の後ろには福禄寿と寿老人がぷかぷかと浮いている。

新大久保《しんおおくぼ》にある「点心《てんしん》」という小さな雀荘。大黒天がなぜこの店を指定したのか、都冬には分からない。「平積みだから」と言っていた気がする。

指定された時刻に店を訪れてみると、板チョコのようなドアには「閉店」の札が掛けられていた。昼でも暗いビルの二階の廊下で都冬は一人逡巡する。福禄寿と寿老人は遅れて到着する事になっていた。

意を決しドアノブに手を掛けると、ドアは簡単に開いた。ドアベルが、カラン、と鳴る。

小さな店だった。

入り口の横にはレジがあり、その奥はスタッフルームになっているようだ。入り口とは反対側に小さな窓があり、店内をぼんやりと照らしている。

緑色をしたテーブルが三つ置かれ、そのテーブルを囲むようにそれぞれ四席ずつ椅子が置かれている。どの卓にも麻雀牌が表を向いて整然と並べられていた。壁や床は幾星霜《いくせいそう》を経たかのように煤けているが、麻雀卓と麻雀牌はとても綺麗だ。都冬は、見た事もないくせに、そこに勝負士たちのこだわりを感じた。しかし、大黒天と恵比寿という有名な神様が勝負をする場所にしては、どうしても質素に見える。

すると、会計時には下部分がそのまま飛び出して行きそうな古ぼけたレジスターの横から、目つきの悪い男の子が姿を現した。

小学校高学年くらいだろうか。黒いポロシャツがやけに大人びている。雀荘と子供。本来ならば似つかわしくないはずなのに、何故か馴染んで見えたのは、その男の子のしかめっ面がやけに堂に入っていたからかもしれない。

男の子は都冬を一瞥《いちべつ》すると、特に何を言うでもなく、レジの横にある冷蔵庫からコーラの缶を取り出してゴクゴクと飲んだ。

都冬は首を傾げた。この店の関係者なのだろうか。随分と我が物顔で振舞っている。

男の子は物凄い速さでコーラを飲み干すと、缶をクシャッと潰し、ゴミ箱に放り投げた。

この男の子が今日の勝負の関係者とは思えない。関係者ではない人間がこの場にいるのは、良くないのではないだろうか。

「ねえ、僕。僕はこの店の誰かと知り合いなの？」

都冬が声を掛けても、男の子は一瞥しただけで、再びレジの奥へと姿を消してしまった。

——生意気な子供だこと。

都冬は子供——特に小学校低学年くらいの男の子——が苦手だったので、本気でそう思った。彼らは、大人は皆頑丈だと思っているし、顔を見ればブスしか言わない。

でも子供一人くらいなら、神様たちが何とかするかな……。

そう思い、都冬はそれ以上男の子と関わる事をやめた。

やがて、ドアベルが鳴り、大黒天がやってきた。大黒天は入るなり店を見回し、レジの奥へ視線を送り、やがて都冬に近づいた。

「都冬はん。よう来てくれはった」

大黒天はいやに丁寧な挨拶をした。都冬は「はあ」と曖昧に返事をする。

「ささ、もうすぐ相手も来るやろうから、ここにでも座っててな」

そう言って大黒天は中央の卓を指差した。都冬は指示に従い、テーブルと同じ色をした椅子に腰掛ける。大黒天は都冬の右隣に腰掛けた。

椅子に座った途端、何かが都冬の顔めがけて飛んで来た。ムササビの様に体を広げ、都冬の顔を蔽う。

それはおしぼりだった。都冬は思わず「あつっ」と悲鳴を上げる。

「無茶言って借りたんだから、しっかり所場代《しょばだい》は貰うからな」

幼い声が聞こえる。おしぼりを顔から取ると、目の前には先ほどの男の子がいた。

男の子はそう言って、レジの横に置いてある丸椅子にどっかりと腰を下ろす。

「おお、タブンはん。今日は頼み聞いてもろてすまんなあ」

「タブンじゃねえ、タモンだ。いい加減にしねえとその腹の脂肪、グラムで売るぞ」

「こりゃきっついわ」

大黒天は大声で笑った。男の子は眉間に皺を寄せたままピクリとも表情を変えない。

大黒様に対してこんな口を利いて、本当に子供というのは怖いもの無しだ。

「この子がこの場所を借りたんですか？」都冬が言うと、大黒天は一層激しく笑い出した。

「そうや！〝この子〟が借りてくれたんや。偉い子やでほんま。出来た子や」

そう言う大黒天に向かって再びおしぼりが飛んで来た。「あつぇ！」と悲鳴が上がる。

そして、またドアベルが鳴り、福禄寿と寿老人が二柱掛かりでドアをあけて入ってくる。

「お、お二方とも来てくれはったか」

「なんだぁ？　ジジイたちまで呼んだのかよ」男の子が片眉を釣り上げる。

「おお、毘沙門《びしゃもん》。元気そうじゃな」福禄寿は男の子に向かってそう言った。

「えっ！」都冬は驚いて大きな声を出してしまう。「毘沙門天——様？」

「ああ、ばれてしもた。ばれんかったらオモロかったのになあ」大黒天は大笑した。

「何がそんなに面白いんじゃ？」寿老人が怪訝な顔をする。

大黒天は笑いながら、都冬が毘沙門天を子供扱いしていた事を聞かせる。それを受けて、福禄寿と寿老人も笑い声を上げた。

「……だって、毘沙門天様と言ったら、厳しい姿を想像するじゃないですか」

毘沙門天と言えば軍神で、かの上杉謙信《うえすぎけんしん》が旗印に使う程信仰されている神様——と、都冬はゲームで仕入れた知識を頼りに説明した。

「別に構いやしねえよ。今に始まった事じゃねえ」毘沙門天はそう言って、再び片方の眉毛を上げる。「それよりも、対戦相手が来たようだぜ」

毘沙門天は顎で入り口を指した。大黒天から笑みが消える。

全員の視線がドアに集中する。カラン、と再び、ドアベルが鳴った。

颯爽と店内に入ってきたのは、服は狩衣《かりぎぬ》、頭には烏帽子《えぼし》こそ被っているものの、ふくよかな大黒天とは打って変わって長身で、ほっそりとした男性だった。

「……あれが、恵比寿様ですか？」

都冬は隣にいる大黒天に耳打ちする。「そうや」と低い声が返ってきた。

恵比寿はつかつかと歩を進め、「どうも」と小さく礼をすると、大黒天の向かいに座った。

太い眉が綺麗な稜線《りょうせん》を描いている。衣装さえなければ、大手商社にでも勤める三十代半ばの男性に見える事だろう。

都冬は見惚れていた。背の高い恵比寿から、やや見下ろすような視線を向けられ、慌てて目を逸らす。

「彼女は？」

「ああ、この子な。ワシの神社にようお参りに来る子でな。ワシと恵比寿の差し馬でやろう言うんやから、周りを神に頼むのもなんやな思うて。そんで、ちょっと連れて来たわけや。問題ないやろ？」

大黒天の流暢《りゅうちょう》な嘘に、恵比寿は静かに頷いた。

「それより、そっちの相方はどこに居おるねん」

「福助《ふくすけ》！」

恵比寿が声を上げると、都冬の向かい、空いている席の真上で「ポン」と破裂音が響き、水色の羽織袴《はおりはかま》を纏《まと》った小さな男の子が現れた。三十センチくらいの身長だけれど、顔がカボチャみたいに大きい。髪は髷《まげ》を結っていて、垂れ目がちの目は柔らかく、頬が赤く染まっている。耳はふっくらと長く、まるで人形みたいだ。

「お久しぶりで御座います。叶《かのう》福助に御座います」

福助と名乗った男の子は卓の上に正座をすると、ハキハキと挨拶し、深く頭を下げた。

「福助。最近見んと思てたらお前、恵比寿の所に行ってたんか」

思わぬ人物の登場に驚いたのか、大黒天の声が少し上ずっている。福助は再び頭を下げた。

「はい。大黒天様に『儲け話に鼻を利かせろ、匂う主人に従事しろ』との教えを受けましたので、只今恵比寿様の下、修行に励んでいる所存に御座います」

「そうかそうか。ええ心掛けや」大黒天は笑った。どこか乾いた笑いだった。

「そんなに時間がねえんだ。そろそろ始めるぜ」

毘沙門天が都冬たちが囲んでいる卓に近づいて、全員を睨み付ける。

「この勝負を俺が仕切るって事は、結果は絶対だって事を忘れるなよ。有耶無耶《うやむや》にはさせねえし、文句も言わせねえ。賭けた物をちゃんと差し出さねえ場合は――俺も相応の処置を取る。二人とも、分かってるだろうな？」

「委細承知」恵比寿がキッパリと答える。

「おお。ごっつ怖いのう」大黒天はおどけて見せた。「勿論分かっとるわ」

「それじゃ、互いに賭ける物を述べてもらおうか。――大黒」

「おっしゃ。ワシのは簡単や。ワシが勝負に勝ったら、恵比寿はきっちりワシに頭を下げるんや。調子こいてすんませんでした、てな」

大黒天は大げさに頭を下げて見せた。恵比寿はそれを聞いても、眉一つ動かさない。

「じゃあ、次。恵比寿」

「私が勝ったら、関東一円で私と貴方が共に祀られている寺社を全て頂きましょうか」

「な、なんやて！」

恵比寿の申し出を聞いた途端、大黒天の顔色が変わった。

「そりゃあ、でかく出たな。いいのか？　大黒」毘沙門天も少し驚いているようだ。

「……そんなに凄い事なんですか？」

都冬は小さな声で福禄寿に尋ねる。

「そうじゃなぁ。適当に挙げただけでも……浅草寺《せんそうじ》、香取《かとり》神宮、神田《かんだ》神社……富岡八幡宮《とみおかはちまんぐう》なんかも一緒じゃったか。小さいとこならもっとあるんじゃないかのう」

福禄寿は指折り数えた。

「それが恵比寿様だけの物になると、どうなっちゃうんですか？」

「うむ……そうじゃなぁ。簡単な例で言えば、夷三郎と大黒、両方が祀られておったら、祈願に来る方もどちらに願えば良いのか悩むじゃろ？　それが夷三郎だけの物になれば、人間との結び付きは確実に強くなるわけじゃ。それだけで、徳はかなりの物になるじゃろ」

「結び付きで言えば、一つの寺社を独占出来るだけで、その土地土地に祀られている地主神や鎮守神、あるいは妖怪たちとの結び付きなんかは、より強固になるじゃろうなあ」

寿老人は難しい顔をしながら言った。

「それに、儂らはどこか行く時、自分の寺社に飛んで移動するんじゃが、多ければ多いほど、当然楽になる。儂はそれが一番ありがたいのう」

福禄寿がしみじみと言い、寿老人は大きく頷いた。

「……言うようになったやないか、恵比寿」

大黒天の声が震えている。

「なに。例えば富岡八幡——深川《ふかがわ》七福神にしてみれば、貴方には円珠院《えんじゅいん》がある。そうでなくても、貴方を祀る寺は全国に山ほどある。大した事ではないでしょう」

恵比寿は資料でも読み上げているかのように淡々と話す。大黒天の顔がみるみる赤くなった。

「ええやろ！　それでいこうやないか。その代わり、ワシが勝ったら土下座やからな」

物々しい雰囲気に包まれつつ、大黒天と恵比寿の麻雀勝負が始まった。

『麻雀は、そこにいる四人が役を作り、得点を競うゲームや。基本的には嬢ちゃんにあげた本を参考にしてや。ワシが教えるんは基礎中の基礎。

まず、配牌《はいぱい》が終わったら、字牌《じはい》——つまり、「東《トン》」とか「中《チュン》」とか、漢字が書いてある牌から捨てるんや。字牌言うんは、言わば足枷《あしかせ》みたいなもんやからな。素人が手を出したらアカン。

ほんでな、決して鳴かない事。「鳴く」言うんは、ポンとかチーの事や。誰かが捨てた牌を自分のものに出来る技やな。一回くらい聞いたことはあるやろ？

人の物は欲しくなる。でもこれも、慣れんうちに鳴きすぎると身動き取れんようになってまう。例えば、ワシはポンポン鳴くかも知れへんけど、嬢ちゃんは気にせず字牌を捨てるんや。ええな？　字牌から切る、鳴かない。これは守るんや。頼むで！』

一回戦目——麻雀用語で言うと一局目と言うらしい——は、大黒天が恵比寿から千点のあがりをし、二局目は恵比寿が自力で八千点のあがり。都冬と言えば入門書を片手に持ちながらの麻雀だったので、何が行われているのかを理解するだけで精一杯だった。

そして迎えた三局目。大黒天はサイコロを握り締めながら目を瞑っている。まるでお祈りでもしているかのようだ。大黒天が祈ったら、それはどこの神様に届くのだろう。神様専門の神様なんているのだろうか。都冬がそんな事を考えている間に、大黒天はカッと目を開くと、意外に丁寧にサイコロを振った。

「自五やな」大黒天は静かにそう言うと、自分の山を右から五つ目で切り分けた。

大黒天、都冬、恵比寿、福助の順に取っていく。

「さて、配牌はどんな按配《あんばい》や」大黒天は手を擦り合わせて、伏せて並べられていた牌を器用に立てた。都冬も配られた牌を順番に並べていく。

途端、「あが!!」と蛙が潰れた様な声が上がった。

牌の上下を並べ替えていた都冬は、驚いて牌を卓上へ落っことした。慌てて拾い上げてから、その声の出所へ目を向ける。

大黒天が、自分の牌を見つめたまま小さく震えている。凄い配牌になっているのかと都冬は期待したけれど、どうやら違うようだった。

大黒天は小さく「なんでや」と呟く。

「どうしました?」

わなわなと震える大黒天に、恵比寿が声を掛ける。

「い、いや、なんでも……ん?」

咄嗟に笑顔を作った大黒天は、福助の方を見て動きを止めた。

「福助、貴様――」大黒天の声色が変わる。こめかみに血管が浮き立つ。

「貴様、少牌《しょうはい》しとるやないか! 何やってんねん!」

大黒天は声を荒らげて立ち上がった。

少牌ってなんだっけ――都冬は入門書を捲った。それによると、少牌とは麻雀における反則行為で、手牌が規定の枚数よりも少ない状態の事を指すようだ。福助の目の前に並んでいる牌に目をやると、確かに都冬の手元に並んだ牌よりも数が少なかった。間違えてしまったのだろうか。

「はい、確かに手前は少牌をしております。然し、少牌はアガリ放棄と見做《みな》されるのみで、罰則は無く、局もそのまま続行するのが公式のルールであります」

福助は折り目正しく、きちきちと説明した。

「な、なにを」

「そちらのお嬢様がお持ちのご本にも、恐らくはそのように書かれているかと」

福助に促され、都冬は入門書に目を落とす。確かに、少牌の項目には同じような事が書かれていた。

「では、改めてこの局を進行致しましょう」

福助は恭しく頭を下げた。都冬は自分の番だという事に気が付き、慌てていらない牌を卓に置いた。続いて恵比寿が静かに牌を握り、置く。福助も同じように卓に牌を並べた。

「信じられへん。何を考えとんねんホンマ。この……だ、大事な局面で」

大黒天はぶつぶつと文句を言いながら、山から牌を取り、自分の手牌から一つ選んで、卓に置いた。

「これがどういう勝負か分かっとんのかい！　ホンマ、お前は――」

「ロン」

大黒天の小言の間隙《かんげき》を縫うように、低く鋭い声が響いた。

「え？」大黒天の口がぽっかりと開く。

恵比寿は手馴れた動作で、静かに自分の手牌を前に倒した。

同じ数字の牌が三つずつ、それが四組綺麗に並んでいる。残りの一つは、今大黒天が出した牌と同じだ。

「スーアンコウか」毘沙門天が静かに言った。

その名前は都冬も知っている。役満《やくまん》――麻雀で一番高い得点の役だ。

「四暗刻単騎《スーアンコウタンキ》……アホな」

「これはダブル役満というルールもありますが、そうでなくとも貴方はトビで終了です」

恵比寿はあくまで冷静だった。

「あ……アホな……」

大黒天の顔が、見る見るうちに青くなっていく。

「そんなアホな……ワシが、勝つはずやったのに」

大黒天は再び小さな声で呟いた。余程ショックだったのだろうか、眼《め》の焦点が合っていない。

後に福助から聞いた話によると、大黒天はこの局の始めに「積み込み」と呼ばれるイカサマをやっていたらしい。あらかじめ自分の目の前の山に必要な牌を仕込んでおき、その山から配牌を開始出来る様にサイコロの目をコントロールする。都冬に配られる予定の場所には大黒天が鳴く予定だった欲しい牌――都冬が捨てろと指示されていた字牌――が配置され、恵比寿の所には、数巡後には恐らく捨てられるであろう牌――大黒天があがる為の牌――が積み込まれていた。

しかし、それを察した福助は、最初に四枚ずつ取らなければならない所を二枚だけに留め、配られる順番をずらす。結果、大黒天の手元に欲しい牌は集まらなかった。

その話を聞いた都冬は、自分の知らぬところでそんな駆け引きが行われていたのかと驚いてしまった。

恵比寿の役満はどういう事かと尋ねると、これは紛れも無い「運」なのだそうだ。

「己の運を信じなかったのが大黒の敗因かのう」

話を聞いた福禄寿は、感慨深げにそんな事を言った。

ともあれ、大黒天は勝負に負けた。

「では、毘沙門天。後は筋を通すよう、宜しく」

試合が終わると、恵比寿は他の神様への挨拶もそこそこに、店を後にした。福助もそれに続くように、小さな煙と共に姿を消した。

静かになった店の中で、一人震える大黒天に向かって、毘沙門天がゆっくりと近付く。

「……約束は守ってもらうぞ」

「分かっとるわ」

大黒天は卓に肘を突いて、項垂《うなだ》れたまま答えた。

カチャカチャと音がする。

大黒天が牌を弄《いじ》っているのかと思ったが、大黒天の手は大きな顔をおおったままだった。それなのに、卓上の牌がカチャカチャと動き出す。そして、次第にその音は大きくなり、机、椅子、オンボロのレジスターがガタガタと小刻みに揺れ出した。

――地震だ！　どこか……避難しないと！

都冬があわあわと慌てている間にも揺れは激しさを増し、気が付けばビル全体が激しく縦に揺れていた。

「大黒！」

バランスを崩し、片膝を床に突いた毘沙門天が叫ぶ。

都冬も揺れに耐え切れず、その場に倒れ込んだ。倒れざま、都冬は大黒天の顔を見た。

両手で顔がおおわれているはずなのに、掌《てのひら》の横――本来は耳がある辺り――に憤怒の形相をした大黒天の顔が見えた気がした。揺れがあまりにも激しかったから、見間違えたのかもしれない。

「これ、落ち着かんかい！」

福禄寿が大黒天の頭を杖でポコンと叩いた。そして、寿老人がドボドボと瓢箪の中身を大黒天の頭に掛ける。大黒天が「おわ」と短く悲鳴を上げると、やがて揺れは収まっていった。顔の横に見えたように思えた、もう一つの恐ろしい顔も無くなっている。

「落ち込んどる奴に杖で叩いて酒掛けるって、一体どういう事やねん」

そう言って大黒天は笑った。その目はカラカラに乾いていた。

私のせいじゃ、ないよね――。

都冬はそう思いつつも、どこか後ろめたさを感じずにはいられなかった。

麻雀対決から数日が経過しても、自分は大変な事に関わってしまったんじゃなかろうか、という思いが頭から離れなかった。大黒天と恵比寿が合祀《ごうし》されている神社やお寺がどれくらいの規模なのかも分からないし、そこから大黒天が外れる事がどれほど大変な事かも、都冬には分からなかった。ただ、最後に大黒天が見せたあの態度一つ取ってみても、ただならぬ事態なのではないかと思わせる。

そんな都冬の思いをよそに、神様たちは呑気にブログを更新していた。

寿老人はマウスに覆い被さるようにして、必死に動かしながら文章の指示を出す。福禄寿は両手両膝をついたままキーボードの上を這い回っている。おつうとひよどりも福禄寿を手伝おうとしているのか、キーボードの上をうろうろとしていた。

「次は、なんという、の『な』じゃ！」

「はい！」

福禄寿は百人一首でもしているみたいに、勢い良くキーボードを叩いた。遅れておつうが反応し、嘴《くちばし》がその手に突き刺さる。「ぎやあ」と悲鳴が上がった。太平楽《たいへいらく》だなあと思いながらも、都冬はそんな光景を眺めながら、どうにか心を落ち着かせていた。

第四章

神様コンフィデンシャル

「もしもし」

「あ、お姉ちゃん」

「秋菜《あきな》？　どうしたの？」

「仕事は忙しいけ？」

「まあ、それなりやね」

「あのね、お姉ちゃん」

「うん」

「私、結婚します」

「知っとるよ」

「私、五月に結婚します」

「何なんけ？　私を追い詰めとんがけ？」

「効いた？」

「こうかはばつぐんやわ」

「あのさ、結婚式でさ、花嫁が母親にプレゼントを贈るっていうが、あるやろ」

「噂で聞いたことあっちゃ」

「そんでね。海外旅行をプレゼントしてあげようかとおもっとんが。お母さん、私たちが生まれてから一回も、お父さんと二人で旅行した事無いがやよ」

「いいないけ。秋菜からもろうたら、きっと喜ぶわぁ」

「でもね、結婚式ちゃぁ何かと物入りで。私だけじゃ、本当に大した旅行に連れて行けん可能性があって」

「どこでも良いないけ。別に」

「このままやと熱海《あたみ》になりそうなが」

「素敵やないけ。それを海外やと主張するがは、ちょっこ難しいけど」

「うん。でもお姉ちゃん、よお考えて。私のお母さんは、お姉ちゃんのお母さんでもあるがやよ」

「それも噂で聞いたことあっちゃ」

「お姉ちゃん、結婚なんて出来んやろ」

「それ、どうやら何かの呪いが掛かっとるらしいんやぜ」

「やから、これを機会に、共同出資と言う形にしよまいけ」

「ははあ。なるほど。そういう電話け」

「私とお姉ちゃんと、夢のタッグ結成やちゃ」

「プロレスの話はいいわいね」

「私はウィリアムスで、お姉ちゃんオブライトね」

「それは悪口やろ？」

「お姉ちゃんって、プレゼント、お母さんにあげた事あるがけ？」

「お金の掛からない物なら、いくつもあげとるよ。真心って言うの？」

「ここでプレゼントしといたら、結婚の話もしつこく言ってこんくなるかもよ」

「……なるほど」

「じゃあ、そういう事でいいけ？」

「いいけど、海外旅行って、いくらくらい掛かるものなんけ」

「それなりやわぁ。まだどこにすっか決めてないけど」

「それなりですか」

「うん、お姉ちゃんも大変やと思うけど、よろしくね」

「はい」

「神様。私、今すぐにでも就職したいんですよ」

都冬は老神たちをパソコンから遠ざけると、就職サイトを覗いた。

ブログを作成する作業から無理やり退けられた神様たちはぽかんとしている。

「大黒様も、どうやらこれから大変そうですし……」

お二人は当てになりませんし、とは言わない。

「ぶろぐ書いてたんじゃぞ」寿老人が怒っている。

「何をそんなに焦っておるんじゃ」福禄寿が言った。

「実はですね、急遽お金が必要になりまして」

「なんじゃ。悪いところから金を借りたんじゃないじゃろうな」

「違います。母にプレゼントを買わねばならないんです」

「ふむ」福禄寿が髭を触った。「孝行は大切じゃな」

半分は事実だが、半分は違う。

妹との電話で、やる気が出てしまった。

「つふゆは時折、働きたい、働きたいと言うとるが、実際はどんな仕事をしたいんじゃ？」

寿老人は炬燵机にちょこんと座ると、瓢箪を口につけてがぶがぶと飲み始めた。

「それは……働ければ、文句は、特には」

「じゃあ、例えば永遠に丸太を転がすような仕事でも良いんかの」

それは一体どんな仕事なのだろう。要するに肉体労働でも良いのか、という事だろうか。

「力仕事に向いている体じゃないと思うんですが……」

「そうかの？」寿老人が首を傾げた。

「ちょっと、どういう意味ですか」都冬は寿老人を睨んだ。まるで、向いているように見えると言わんばかりの首の傾きだ。

「あんまり体を動かしたくは無いという事かの」

「そうですね。デスクワークの方が」

「それで、その画面を見てると、そう言う会社に就職できるのかの」

福禄寿に痛い所を突かれ、都冬は顔を顰《しか》める。

「もちろん絶対じゃありませんけど……。でも、ほら、こうやって多数の会社が社員の募集をしているんです。あとはそう、運の問題です。大黒様に言わせれば、今私は運が良いらしいじゃないですか」

「大黒は勝負に負けたがの」今度は寿老人が痛い所を突いてきた。

「それは、ただ、恵比寿様の方が凄かっただけです。大黒様だって凄いはずです」

「確かに、夷三郎は凄かったのう」

「ですよね。格好良かったですよね」

都冬は恵比寿のしなやかな手つきを思い出した。他の七福神と比べるのは申し訳ないが、一番神様らしい、荘厳な佇まいだった。

「なら、夷三郎の所に行けば良いじゃろうが」

寿老人はマウスを動かす都冬の腕に飛び乗る。パソコンを使いたくて仕方ないのだろう。

「恵比寿様の所？」

「それは敵に迎合するようで、気が引けるのう」福禄寿が髭を触る。

「べ、別に、恵比寿様は敵じゃないですよ」

「会いに行くくらい構わんじゃろ。別に、大黒を信仰しとるわけでもないんじゃし」

「つふゆは無信心じゃからのう」

「いや、あの……」

神様に言われると、自分がとんでもない人間に思えて仕方ない。

「……恵比寿様は、どこにいらっしゃるんでしょう？」

ＪＲ恵比寿駅で降り、やたらと長い動く歩道を進んだ先に、恵比寿ガーデンプレイスと呼ばれる一帯がある。昔はサッポロビールの工場があったと言う話だけれど、詳しくは知らない。ガーデンプレイスという響きから、何となくお洒落なセレブが行く場所のような気がして、都冬は今まで訪れる気さえ起こらなかった。

「本当に、こんなところに恵比寿様の神社があるんですか？」

赤いレンガを基調とした広場には、犬を散歩させている御婦人や家族連れ、のんびりとベンチに座っている若者の姿がある。

「確か、こっち側に新しいのを建てたと言うておったがのう」

そうして歩いて行くと、サッポロビール本社の脇に、確かに恵比寿神社があった。木々に囲まれているので気付きにくく、枝葉の間から覗く小さな鳥居を見落としていたら、そのまま通り過ぎていたかもしれない。木々の向こうにうっすらと見える鳥居も社《やしろ》も、恵比寿ガーデンプレイスの敷地内にあるからか、どことなく綺麗でお洒落だと都冬は感じた。

新しく建てられた社や、建て替えられた本殿などを見ると、ありがたみが半減してしまう気がするのは何故だろう。そう都冬が言うと、福禄寿は溜め息を漏らした。

「大小、新旧は信仰とは全く関係ないんじゃぞ」

「でも、古い方がご利益がありそうじゃないですか」

「古いから良いんじゃなくて、長い間熱心に信仰が続いてるから良いんじゃ」

「それって、同じ事じゃないんですか」

「全く違うわい」

細く綺麗な石畳を抜けると、灰色の鳥居の先に小さな社があった。社の前に置かれた賽銭箱を挟む様に、木製の灯籠《とうろう》、さらに手前には石灯籠が置かれている。左側の石灯籠の脇には、小さいながらちゃんと手水舎《ちょうずや》まであった。

境内には参拝をする人の姿がある。スーツ姿のサラリーマン二人組が、丁寧に頭を下げていた。そしてその向こうは、

「夷三郎じゃないか」福禄寿が小さく驚いた。

恵比寿は二人のスーツ姿のサラリーマンと向かい合って、何やら話し込んでいる。やがて二人の男は仰々しく腰を折り、都冬たちの方へ振り返った。随分と年配で、都

冬は前に働いていた会社の上司を思い出した。彼らは都冬を一瞥《いちべつ》すると、特に何を言うでもなく、そのまま神社の外へ出て行った。

「これはこれは、お二方ともお揃いで、どうされました」

恵比寿はその場で静かに微笑んだ。「おや、君はこの間の」

「榛名、都冬です」

都冬は深々と頭を下げる。恵比寿はうっすらと笑みを浮かべ、それに応えた。

「随分端っこに造られてるのう」寿老人は手水舎に流れる水を弄《もてあそ》びながら言った。

「こちらは元々一般用に建てられたものではありませんから。参拝客もさほど来ませんよ」

「あの、さっきのスーツの方たちも、神様なんですか？」

「ああ、彼らは君と同じ人間だ。そこの会社の重役だよ」

恵比寿がビルを指差す。そこの会社とは、サッポロビールの事だろうか。

「定期的に業務報告をしに来る事になっていてね。彼らなりに、筋を通しているという事です。それは大切な事ですからね」

恵比寿は重役たちが歩いていった方に視線を送った。

「それより、わざわざこちらまで出向かれたのは、何か御用があっての事ですか？」

「うむ。実はのう」福禄寿はちら、と都冬に視線を送った。

「このつふゆに、働き口を見付けてやって欲しいんじゃ」

「このお嬢さんに——ですか」恵比寿は都冬の顔をまじまじと眺めた。都冬は慌てて目を逸らし、息を呑む。

「てっきり、大黒様のお知り合いだと思っていましたが」

「あやつは後じゃ。儂らが先に見つけたんじゃ」寿老人が言った。

「働くと言っても、肉体労働は駄目じゃぞ。つふゆはなるべく動きたくないそうじゃから」

福禄寿が付け足す。

「ち、ちょっと福禄寿様。それは少しニュアンスが——」都冬は慌てて訂正した。

「お二方たっての願いとなれば、聞き入れたいところではありますが……生憎《あいにく》、今は多忙でして」

「むう……そうか」福禄寿が肩を落とす。都冬も心の中でがっくりと項垂《うなだ》れた。

「福助！」

恵比寿様が声を上げると、途端、ポン、と破裂音が響き、空中から福助が現れた。

「お呼びで御座いますか、恵比寿様」

「彼女――都冬さんに、少し付いていなさい。私は挨拶回りに出掛ける」

「承知しました！」福助は元気に言った。

恵比寿は福助の言葉に小さく頷き、老神たちに頭を下げると、高々と片腕を上げる。すると、社の向こうの空から大量の水が、空中を波打つようにしてこちらに向かってきた。途端、恵比寿の足元から水柱が上がり、恵比寿の体を高々と持ち上げ、そのまま空中の波に飛び乗る。

「では」恵比寿を乗せた波は、風に流れる雲のように、空の彼方へ飛んでいった。

恵比寿を見送った福助はくるりと体を翻すと、空中で正座をし、恭しく頭を下げる。

「叶福助と申します。改めて、お見知りおきを」

「あ、いえ、こちらこそ」都冬は不器用に頭を下げた。

「さて、都冬様のご用件とは？」

「つふゆはな、働きたいんじゃよ」

「それは、実に素晴らしい御心掛けです！」福禄寿の言葉を聞いて、福助は目を輝かせる。

「働きたがらない若者が増えている昨今、どうしたものかと大黒天様も恵比寿様も頭を悩ませておいでです。都冬様の話を聞けば、さぞや感心される事でしょう」

「夷三郎は、お前に押し付けてどっか行ってしまったがのう」寿老人が呟く。

「恵比寿様は、大黒天様より拝領した寺社仏閣の神主や坊主たち、その周りにおわす神仏や狐狸妖怪に挨拶に行かねばなりませんから、致し方有りません」

それを聞いた福禄寿は顔を顰《しか》める。

「やはり、あの賭けは成立してしまったのか」

「毘沙門天様がお仕切りになられた賭けで御座いますから、それはそれは、滞り無く」

「大黒の奴、落ち込んでおるじゃろう」

「仕方ないのです、福禄寿様。大黒天様もご承知の上の勝負でしたから」

「お主、前は大黒に仕えておったのに、淡白じゃのう」

寿老人の嫌味を意に介さず、福助は溌剌《はつらつ》と答える。

「福助の今の主人は恵比寿様です。恵比寿様の利益になるよう、東奔西走するだけです」

福助の利益優先の考え方に都冬は少し驚いた。愛らしい顔をしていて、中々侮りがたい。

「都冬様が働きたい理由は、金銭面でお困りだからなのでしょうか？」

「いや、別にそれだけじゃ――」

「何ら恥ずべきことでは御座いません。この福助が付くからには、金銭面でお困りにならぬようにしてみせます」

福助は自信満面に言った。都冬は思わず「ありがとうございます」と頭を下げる。

「では、これからカボチャを買いに参りましょう！」


「叶福助は村田市兵衛《むらたいちべえ》、又は加保茶元成《かぼちゃのもとなり》と呼ばれていた事もあってな。いつだか、まだ福助が店の主人だった頃、大量のカボチャを買ってきて、それを季節が替わるまで食べ続ける事で金を貯めたんじゃと」

福助が都冬の家の台所でカボチャ料理を拵《こしら》えている最中に、福禄寿が小さな声で耳打ちした。

「つまり、ケチという事ですか」

「有り体に言えば、そうじゃな」

「俺はカボチャ苦手なんだけどな」夜右衛門が苦い顔をして言った。

恵比寿神社から帰ってくると、炬燵に足を入れてぬくぬくと寛いでいた夜右衛門が都冬たちを出迎えた。その状態が当たり前であるかのように、夜右衛門は「よお」と明るく挨拶をする。留守番をしていたおつうとひよどりは、夜右衛門の体に纏わり付いて遊んでいる。寿老人は夜右衛門の姿を見るや否や、どこかへ消えてしまった。

「住所が分かったんですか？」

都冬の問いに、夜右衛門は難しい顔をした。

「なかなか、妖怪が人間の住所を調べるってのは骨が折れるな。部屋の番号は分かっても、外来語で書いてありやがるから、その建物が何て名前なのか読めねえし、地名はどこにも書いてねえしよ」

そう言いながらも猩々の声は弾んでいて、目当ての住所が分かった事は一目瞭然だった。

夜右衛門はたどたどしく住所を諳んじる。

「とうきょうとみなとくこうなん……くいいんずがあでん三八〇二」

港区《みなとく》、港南《こうなん》、クィーンズガーデン。どれを取っても、お金持ちの匂いを感じる。

そして、どこかで聞いた事のある響きだな、と都冬は首を傾げた。

「それでな、一応、手紙に使う紙を用意してきたんだ」

夜右衛門はそう言って、懐から折りたたまれた一枚の紙を取り出した。その白い紙は、少し古ぼけた感じはするけれど、特別に変わった点は見受けられない。

「これは紙舞《かみまい》が飛ばした紙でさ、うちらの間じゃちょっと人気があるんだよ」

「かみまい？」

「妖怪みたいなもんじゃ」

「今はただの紙切れで、飛びやしないんだけどな。ほら、験担《げんかつ》ぎって言うのか？」

それが人間にとって験が良いのか悪いのか分からない。しかし、夜右衛門があまりに活き活きとしていたので、都冬は何も言わなかった。

夜右衛門は炬燵の上に紙を広げる。手紙にはちょうど良い大きさだった。

そこへ、両手でしっかりと皿を持った福助が台所からぷかぷかと飛んで来た。

「おお、これはどうもです」福助はカボチャ料理が盛られた皿を、ドンと紙の上に置いた。

「てめえ、何してやがる！」猩々が目を剥く。

「配膳です」

「配膳だと、この――」夜右衛門は乱暴に皿をどけると、手で紙を払い、息を吹きかける。

「敷紙《しきがみ》ではないのですか」

「敷紙じゃねえ！　何て事しやがる」

「まあまあ、折角《せっかく》福助がお主の分まで拵えてくれたんじゃ。話は食べてからでもよかろう」

福禄寿が窘《たしな》める。

福助が作った料理はカボチャの煮付けとカボチャのサラダ、それとカボチャのスープ。見事なまでにカボチャ尽くしだった。

「こんな洋風な料理まで出来るんだ」自分が料理下手なものだから、感心してしまう。

「カボチャ料理は日進月歩ですから」福助は得意満面に言った。

カボチャ料理はとても美味しく、都冬たちは、これで経済的だったら何の文句も無いんですけどね、とか、えびすカボチャという品種もあるんです、なんて話をしながら食事を楽しんだ。おつうもひよどりも、カボチャのスープをおいしそうに舐める。

緑色をした豊満なカボチャは、まだまだ沢山台所の横に積まれている。しかし、カボチャの値段は想像以上に高く、都冬の台所事情は余計に寒々しいものになった。これで何の成果も出なければ困った事になる。都冬はこっそり、まだ見ぬ何かの神様に祈った。

「そうそう、この前言った妖怪退治の話」夜右衛門は苦手だと言っていたカボチャの煮つけを口に放り込みながら言った。

「また出たらしいぜ。今度は飛縁魔《ひのえんま》がやられた」

「ひのえんま？」

「美しい外見で男を惑わすと言われる妖怪ですね。惑わされた男は身を崩し、やがて命までも失うと、江戸の昔には良く噂されていました」

物騒な話だけれど、福助はどこか懐かしそうだ。

「最近は迫ってくる男がいなくなったって嘆いてたな。草食系って言うんだって？だから、アイツはアイツなりに、現代に合わせて活動してたはずなんだけどなあ」

「因果応報と言うやつです」福助は夜右衛門の皿におかわりを盛り付ける。

「俺も気をつけねえと」

夜右衛門は豪快に笑って、清酒でも飲むかのようにカボチャのスープをぐいっと飲み干した。

食後のお茶を済ませ、炬燵机を丹念に拭いてから、夜右衛門は再び先ほどの紙を広げた。都冬は少し細めの筆ペンを用意する。手紙を書くなんて久しぶりだった。今は遠くの知人とも、パソコンや携帯電話で電子的にやり取りが出来る。年賀状を出さなくなってから、もうどれくらい経つだろう。

「手紙の内容はもう考えてあるんですか？」

筆ペンがなかなか持ち慣れず、都冬は何度も握り直した。

「ああ、まあ――一応。でも変だと思うから、都冬さんにも考えてもらおうと思って」

「あんまり自信がないなあ」

「駄目な部分は駄目って言ってもらって構わねえから」

「うむ。儂に任せておけ」福禄寿は自信があるらしく、大きく頷いている。

夜右衛門は一つ咳払いをして、静かに言った。

「拝啓、武藤環様」

拝啓――と書いた所で都冬の手がピタリと止まる。

「あれ、もう駄目だったか？」

「そうじゃなあ。拝啓、は無いわなあ」

福禄寿が福助に振った。「そうですねえ」と福助も合わせる。

「じゃあ、どう書き出せば良いんだよ」

「それは、あれじゃよ。もっと気さくな雰囲気をじゃな」

「漢字の表現が硬過ぎるのでは無いですか？　硬いカボチャは煮なければいけませんよ」

「カボチャは苦手なんだよ」

都冬は彼らのやり取りを遠くに聞いていた。頭の中で馴染み深い名前を反芻する。

むとうたまき——武藤環？

どうして、夜右衛門から友人の名前が出てくるのだろう。

夜右衛門は意中の人との出会いのきっかけを何と言っていたっけ？

——ちょっと前くらいに、助けたんだよ。

——出会った所はどの辺なんじゃ？

——海だ。

海で、人を助けた。

私と環の出身は富山。夜右衛門が泳いでいた海も、富山。

溺れた環を夜右衛門が助けた。

奇妙すぎる繋がりに、都冬は眉を顰《ひそ》めた。

「のう、都冬。さっきの出だし、一体どこが悪いんじゃ？」

討論の結果、具体的な答えが出てこなかったのか、福禄寿が尋ねてくる。

「あ、いえ、そうじゃなくて」都冬はかぶりを振った。「友達なんです。その、武藤環」

「なんじゃっとう！」福禄寿は驚きで髭を揺らした。「そりゃ、奇跡じゃ！」

福禄寿はわなわなと震え、天を仰ぐ。

「こんな奇跡がこの世にあるじゃろうか！」

それは神様が言う台詞じゃないのでは、と思いながら、都冬は夜右衛門を見つめた。夜右衛門は「そりゃそうだ」と言わんばかりに平然とした顔をしてお茶を啜《すす》っている。そして、湯飲みを置くと実際に「そりゃそうだ」と言った。

「そう聞いたからアンタの所に来たんだから」

「え？」都冬は口をあんぐりと開ける。「それは、いったい誰に？」

「そうじゃ。そもそもお主、誰に聞いてここに来たんじゃ。大黒は知らんと言うとったぞ」

「ああ……別に嘘を吐いたつもりはねえんだけど。言わないように釘を刺されてたから」

夜右衛門は少しばつが悪そうに鼻を掻いた。

「誰なんじゃ、そやつは」

「あんまり神に知り合いなんていねぇんだけど、女性に関する事だからと思って、吉祥天の所に行ったんだよ。少しだけ繋がりもあったから」

「吉祥天か」福禄寿が小さく唸る。都冬もその名前は聞いた覚えがあった。

「確か……福禄寿様の代わりに七福神に入っていた神様でしたっけ」

「とても立派な金運の女神様で御座います。一度お話を伺わねば、と思っておりました」

福助が目を輝かせた。

「儂は、ちと苦手じゃがのう」

「……やっぱり、神様を交代していたからですか？」

寿老人が猩々を嫌うように、福禄寿と吉祥天の間にも色々な確執があるのかもしれない。

「いや、吉祥天は別に平気なんじゃがな……」と福禄寿はごにょごにょ呟いている。

「どうでしょう。これから吉祥天様に、お話を伺いに参りませんか？」

福助の鼻息が荒い。「都冬様の将来の助けになる御神託《ごしんたく》を頂けるかも知れませんよ！」

「金運、ですか」

興味が無い――なんて言ったら嘘だ。でも、楽してお金を儲けられたらこの上ない、なんて考えている事をその神様に見抜かれでもしたら、怖い事にならないだろうか。都冬は今までも沢山の神様に会ってきたけれど、ずっとそんな事ばかり心配していた。

「何をおっしゃいますやら！」

福助の声の調子が一段と高くなった。

「吉祥天様の御利益は、金運だけに留まりません。吉祥天様の御前で過去の罪を懺悔《ざんげ》し、災いを払う吉祥悔過《きちじょうけか》。災いを払って五穀豊穣《ごこくほうじょう》を願えば、きっと幸福な人生が貴方様の下にも訪れる事でしょう。都冬様にも、悔やみたい過ち、払いたい災いの一つや二つおありでしょう？　これぞまさに勿怪《もっけ》の幸い。この機を逃すのは些《いささ》か浅慮《せんりょ》に過ぎます！　それに先ほども申しました通り、吉祥天様は美の神様。都冬様のその、お転婆《てんば》な所や、お蓮《はす》っ葉《ぱ》な所を正して頂く又と無い絶好の機会かと思われますが！」

最後の方は随分失礼なことを言われた気もするけれど、福助の弁舌は滔々《とうとう》と淀《よど》み無く、いつか芝居で見た蝦蟇《がま》の油の売り口上みたいだった。こういう調子で煽られると、

「じゃあ一つ、試してみようかしら」と言う気持ちになってしまう。

するといと、夜右衛門が眉根を寄せて反論した。

「何言ってやがる。都冬さんはこれから手紙を書くんだよ」

「それは、貴方が意中のお相手に懸想文を出したいが為ですよね。都冬様には何一つ得になっていない。都冬様を私物化するのは如何なものでしょう」

どうやら福助は、神様で無い者に対しては遠慮が無いようだ。ちら、と福禄寿を見ると、老神は首を縮めて畏《かしこ》まっていた。

「どうせお前だって、吉祥天に会って金儲けの秘訣でも聞こうとしてるだけだろ」

「手前の得は即ち都冬様の得。理に適っております。貴方の言う事を聞いて、一体、都冬様にどんな得がありますか？」

福助の厳しい責めに夜右衛門はうろたえる。

「俺は、そりゃあ、酒を飲む事くらいしかできねえけど……」

「それは具体的に、都冬様のどのような利益になるでしょう」

夜右衛門はぐっと口をつぐんだ。都冬は見かねて口を開く。

「お酒を飲む事だって充分役に立ちます！　手紙も書くし、吉祥天様にも会いましょう！」

「都冬さん……」夜右衛門の開いた目は、心なしか潤んでいるように見えた。

「酷く無根拠じゃが、本人がそれで良いと言っておるんだから、ええじゃろ」

福禄寿の言葉に福助は「勿論です！」と快活に答えた。

そして再びラブレターの代筆作業へと戻る。手紙の内容はごく普通で、面白い部分も工夫した部分も無い。突然のお手紙をすみません、から始まり、よろしければ文通相手になってください、で締めくくられる、ありふれた手紙だ。

「少しは色っぽい要素も入れたらどうじゃ」と福禄寿は提案したが、ずっと見てました、とか、子供の頃から愛らしい顔つきで、とか、どうやっても変質的な色合いを濃くするだけだったので、やめておいた。都冬と環は年賀状のやり取りをしないし、この狭いアパートに彼女を招いた事も無いので、差出人の住所は都冬のアパートを記しておく。

差出人の名は、赤紫の顔の人。

環がこれを読んで返事をくれる可能性は低い気がする、と都冬が言うと、「それならそれで構わねえ」と男らしい返事が戻ってきた。夜右衛門は吉祥天の所には行かないらしく、手紙を書き終えると「んじゃあ、またな」と去っていった。返事が来たらどう連絡すれば良いのか聞き忘れたけれど、夜右衛門の事だから、きっと恐ろしく正確なタイミングで現れるに違いない。

——でもなあ。

都冬は、環が結婚している事実を伝えられなかった。結婚してからも奔放《ほんぽう》な環とは言え、さすがに妖怪と遊んだりはしないだろう。何だか、浮かれている夜右衛門を騙《だま》しているようで心苦しい。

「どうしたんじゃ、つふゆ」

都冬は少し逡巡した後、福禄寿にその事実を伝えた。

「ふーむ」と福禄寿が唸る。「それを知ったら、あやつは沈むかのぅ」

「それはいいぞ！」という叫び声と共に寿老人が部屋に戻ってきた。「つまりあれじゃな。その事実は猩々には伏せておいて、騙して楽しもうという事じゃな！」

「なんじゃ寿老。今までずっと聞いておったのか」

「ふん。儂がどこに居ようが、神の勝手じゃ」寿老人は悪びれた様子も無い。「それよりつふゆ。さっきの話、暴露する時機が重要じゃぞ」

「……寿老人様。人の恋路を邪魔するやつは、馬に蹴られて死んでしまえと言いますよ」

都冬が真剣な表情で言うと、福禄寿も寿老人も目を丸くした。

「ふ、ふん。馬なんて何処にもおらんわい」

「馬は居なくても、鹿はいます」

都冬の言葉を理解したのか、ひよどりはブルルと鼻を鳴らし、かつかつと足を動かして蹄の音を立てた。ひよどりは夜右衛門が好きなようだ。

「こやつ」寿老人は苦い顔を浮かべたまま、静かになった。

最寄り駅のポストで手紙を投函して、調布《ちょうふ》駅へと向かう。そこから、深大寺《じんだいじ》行きのバスに乗った。最近は交通費もなかなか馬鹿にならない。

都冬はバスに乗ると決まってタイヤの真上の席に座る。ゴトゴトと揺られる感じが好きなのと、他よりも一段高いので、何だか特別席のような気がするからだ。他に乗車してくる客は無く、都冬は運転席の真後ろに座ったものだから、端《はた》から見れば少し滑稽《こっけい》に見えたかもしれない。

天気は生憎の曇り空だった。人気の天気予報士がこれから一週間は晴れ続けると言っていたけれど、見事に外れた。車窓の景色はぐんぐん変わり、送電線が併走したかと思えば、大きな木々がトンネルみたいに道をおおう。ここは東京なはずだけれど、都冬は地元の富山を思い出した。

寿老人は深大寺に出掛ける事を嫌がっていたけれど、福禄寿に諭されるとしぶしぶ付いてきた。バスに乗ってからは二人とも車内を行ったり来たりして、それなりに満喫しているようだ。福助と二匹の動物は都冬の後ろの席にちょこんと座り、礼儀正しく窓の外を眺めている。

深大寺のバス停で降り、境内に入る。都冬は少し興奮を覚えた。

参道には石畳が敷かれ、右にも左にも古めかしい茶店が並び、その軒先には沢山の提灯《ちょうちん》が吊《つ》られている。「深大寺は古刹《こさつ》ですから」と福助が鼻を膨らませた。もちろん、それら全てが昔からあったわけではないだろうけど、古き時代の雰囲気は十二分に堪能できる。

入って直ぐ左手には鬼太郎茶屋《きたろうぢゃや》がある。妖怪と関係があるお寺なのだろうか。猩々関連のグッズがあれば買おうかな、と思ったけれど、寿老人がいるので止めておいた。

しばらく参道をまっすぐ進むと、「ここが吉祥天様の社《やしろ》です」と福助が指差した。

「え？　でも、ここは……」

福助が指差したその建物には深い緑色の幟《のぼり》が出ていて、達者な字で「深大寺蕎麦《そば》」と書かれている。

「そうですよ。ささ、中に」

福助はさっさと蕎麦屋の中に入ってしまった。慌てて、都冬も店内に足を踏み入れる。

「お蕎麦屋さん？」

参道から見て、店の左側は土産物《みやげもの》や饅頭《まんじゅう》などが売っていて、右側が瓦屋根の蕎麦屋になっていた。その間には雨除けの板が渡され、右側の建物と左側の建物の間には空間が大きく取られている。そこにはいくつかの大きなテーブルと長い腰掛が用意されていて、腰掛には赤い布が敷かれていた。どうやら右側の蕎麦屋内だけではなく、この空間でも蕎麦を食べて良いようだ。

その空間の奥に、都冬の背よりも小さな社があった。小型の立て看板には、確かに吉祥天と記されている。

「小さなお社」都冬の呟きを福禄寿が捉えた。

「つふゆ、前も言ったが――」

「大きさは関係ないんですよね」

「そうじゃ。ここは良い寺じゃからな。確か向こうに、弁天もおったはずじゃ」

「はい。大黒天様と毘沙門天様も一緒に祀られております」福助がしゃきしゃき答えた。

「お二人のお社は無いんですか？」

都冬は嫌味混じりに聞いてみた。

「じゃあ、ぱっと呼び出して、ちゃっと帰るかのう」

「そうじゃな」

老神たちは都冬の言葉を無視し、指を複雑に絡ませるとぶつぶつと何かを唱え始める。都冬は、突然の風が吹いても吹き飛ばされないよう身構えた。

日暮れにはまだ早い時間にも拘らず、ふっと辺りが暗くなった。日でも陰ったのだろうか、と思い、都冬は視線を店の外へ移す。しかし、今日は空一面をおおう曇り空だ。陰るにも、元々日など出ていない。

おかしいな、と再び社へと目を戻すと、社の周りだけがやけに暗いことに気が付いた。まるで、社が辺りの光を取り込んでいるかのように、薄ぼんやりと輝いている。やがてその光は強さを増し、突如、都冬の視界は白い閃光に覆われた。

目を閉じてもお構い無しに、光はまぶたの裏を照らす。都冬は堪らず手で顔をおおった。それでもなお、都冬の眼球、鼻、頬、耳に光が溢れ、都冬は頭を抱え込むようにしてその場にしゃがみ込んだ。後頭部越しにも、光が店内に溢れかえっている様《さま》が感じ取れる。

やがて、光は急速に収斂《しゅうれん》し、まぶたを閉じている都冬も、店内が元の明るさに戻った事を察した。

「おやまあ、福禄寿に寿老人じゃない」

絹糸みたいに細い声が聞こえる。都冬は目を開けて、その声の方向を見た。

小さな社の前で、薄桃色をした大袖の衣を纏った、驚くほど肌の白い女性が穏やかな表情を浮かべて微笑んでいる。背は都冬より少し高いくらいだろうか、頭には何かの花を象《かたど》った金色に輝く冠を着けていて、それが光っているからか、あるいは冠は関係ないのか、その女性の頭の後ろには光の輪が輝いている。目の前の神様たちには失礼だけれど、都冬は神々しさに震えていた。

「吉祥天様、お初にお目に掛かります。叶福助と申します」

「おやおや、お前が福助かい。噂通りくりんくりんだねぇ」

吉祥天はにこにこと微笑みながら、福助の頭をわしわしと撫でた。撫でるその手も真っ白で、まるで肌自体が内側から発光しているみたいだ。

「お揃いで、一体何の御用？」

「うむ……」福禄寿と寿老人は何かが気になるのか、キョロキョロと辺りを見回している。

「金運の御神徳高い吉祥天様のご高説を賜ればと！」

福助は空中に膝を突き、恭しく頭を下げた。

「あらまあ、そんなに高く持ち上げられても、何も出ませんよ」

吉祥天は細い指を口元に持って行き、「うふふ」と笑った。うふふ、という笑い方を都冬は初めて見た。なるほど、こうやって笑うのか。参考にはなるけど、真似は出来ない。

「せっかく深大寺に来たのですから、お蕎麦でも頂きながら、ゆっくりお話ししましょう」

吉祥天は大きく手を開き、パン、と叩いた。

すると、瓦屋根の建物から、黒い着物を着たお婆さんが「はいはい」と枯れた声を出しながらやって来た。随分歳を重ねているのか、曲げた腰が痛々しい。

「御注文は？　何になさいますか？」

「そうね。粗引き蕎麦を頂こうかしら。福禄寿と寿老人は？」

「儂らは、つふゆのを取るから、それでええ」

「お嬢さんは、何を召し上がる？」

「あ、ええと――」都冬はメニューに目を落とす。一番値段が安い蕎麦は――粗引き蕎麦。

「じゃあ、同じものを」

そう言いながらも、蕎麦の料金は誰持ちなのだろう、神様の奢りなのだろうか、などと考えてしまう。

「おつうとひよどりは、私のお蕎麦を分けて上げますからね」

吉祥天に見つめられ、おつうとひよどりはぴょこんと跳ねた。

「手前は、外で食事は致しませんので」と、福助は丁寧に頭を下げる。

「蕎麦二つですね。はいはい、お待ち下さいよ」

老婆は折れた腰をトントンと叩きながら、再び瓦屋根の建物へと入っていった。

吉祥天は社の手前にある椅子に腰掛け、都冬たちにも座るよう促す。

「そちらの方は、ひょっとしたら都冬ちゃん？」

「は、はい」

「あらあら、まあまあ」

吉祥天は嬉しそうに、胸の前で小さく手を鳴らす。「貴女のお噂はかねがね」

「う、噂ですか……」どんな噂なのか、都冬に聞く勇気は無かった。

「そうそう、噂と言えば」

吉祥天が細い指を顎に当てる。

「最近大黒天の様子がおかしいらしいわ。呼ばれても、どこにも顔を出さなくなったって」

「大黒天様が？」途端、福助が顔色を変えた。

この間の勝負に負けて、落ち込んでいるのだろうか。あの時、大黒天が起こした地震。そして、大黒天の顔の横に浮かび上がったもう一つの顔を思い出す。

「大丈夫かのう……」福禄寿が髭を弄《いじ》りながら言った。隣で寿老人も難しい顔をしている。

「吉祥天様、申しわけありません。これから大黒天様の所に行って参ります。お話はまた後ほどでも宜しいでしょうか？」

福助は再び平身低頭した。

「行っておやりなさいな」吉祥天は柔らかく、にこ、と笑った。

福助は再び頭を下げると、店の外へと飛んで行った。何だかんだ言って、大黒天の事が気がかりなのだろう。都冬は思わず笑みをこぼす。福助が飛び出して行った方向を眺めながら、福禄寿は再び「大丈夫かのう」と呟いた。

「はい、蕎麦お待ちどう」

先ほどのお婆さんが大きなお盆を抱えてやって来た。ざるの上に灰色の平べったい蕎麦が盛られている。

「へえ、平打ち麺のお蕎麦なんて、珍しいですね」

「そうですよお。うちは珍しいんですよお」

都冬の問いに、お婆さんはふごふごと笑いながら、机の上に蕎麦を並べる。「こちらに取り分ける皿も置いておきますねえ」

都冬はみずみずしい蕎麦の麺を福禄寿と寿老人、それぞれの皿に取り分けた。吉祥天は「お前たちにはこっちのを分けてあげるからね」と、逸《はや》る動物たちを窘《たしな》めている。

「いただきます」

吉祥天が両手を合わせ、厳かに呟いた。いざ箸を繰り出さんとしていた都冬も慌てて姿勢を正す。お婆さんはにこにこと机の横で笑っている。

老神たちは爪楊枝《つまようじ》を箸代わりに、一本の麺を器用につまみ、横からがぶりと噛んだ。都冬もたっぷりと蕎麦つゆに浸し、勢いよく啜《すす》る。

ゴムのように弾力のある歯ごたえ。噛み切れないぐらいだ。そして何より――苦い。

都冬は思わず麺を吐き出した。福禄寿と寿老人も「ぼええ」とか「おぐう」とか言いながら悶《もだ》えている。

「これ、麺じゃない。これは――」

――パソコン用のＬＡＮケーブル？

麺だと思っていたそれは、端子を外された平たいＬＡＮケーブルだった。

「あははははあ！　馬鹿だ」

突然、先ほどの老婆が大声で笑い出した。驚いてそちらを見ると、曲がっていたはずの腰はスッと伸びていて、黒衣の上には、皺一つ無い若い女性の笑い顔がケタケタと揺れていた。黒く長い後ろ髪は笑い声に合わせてさらさらと動き、前髪のすぐ下にある目はまるで狐のようだった。

「これ、黒闇天《こくあんてん》。悪戯《いたずら》が過ぎますよ」

吉祥天はそう言いつつも、手で口元をおおいながら笑っていた。

「あら、姉さん。ただ成り行きを見ていただけの癖によく言うわね」

こくあんてん、と呼ばれた女性は口の端をぐにゃりと曲げて、クックと笑う。

吉祥天と黒闇天。姉妹だと言うけれど、身長以外はあまり似ていないな――などと都冬が思っていると、その黒闇天と目が合った。

そこだけが刳《く》り貫《ぬ》かれたような、黒々とした瞳――。

ハッと息を呑んだが、黒闇天はすぐに都冬から視線を外し、老神たちを見遣る。

「やっぱりおったか」福禄寿は袖で口を拭いながら、忌々しげな声を上げた。

「居るんじゃないかとは思ってたんじゃ」寿老人はぺっと舌を突き出し苦い顔をしている。

「ケーブル蕎麦の味はどう？　美味しい？」

「美味いわけあるか！」寿老人が吠えた。

「ふん。相変わらず陰湿な事に精を出しておるようじゃな」珍しく、福禄寿が嫌味たっぷりに言う。

「あんたたち程じゃないわ」

黒闇天は、ふん、と鼻息を吹いた。「日陰者の神様に似合いの陰気な顔」

「なんじゃと！」寿老人の顔が真っ赤に染まる。

「そんな風に顔を赤くすると、あんたの嫌いな猩々と区別がつかないねぇ」

「こ、この――」

「寿老、落ち着かんか」福禄寿は冷静だった。「捨てておけば良いんじゃから」

福禄寿が寿老人の肩を撫でて宥《なだ》める。

「ふ、ふん。儂はいつでも泰然自若《たいぜんじじゃく》じゃ。何とも思わんわい」

寿老人はそう言いながら、吉祥天の方を向いた。吉祥天は蕎麦をつるつると啜り、時折おつうとひよどりに分け与えている。

「吉祥天。お主、猩々なんぞを差し向けおって。お陰で仕事が増えて大変なんじゃぞ」

寿老人が飛ばした唾に、吉祥天はふうっと息を吹きかけた。たちまち唾は氷の結晶みたいになって、パラパラと机の上に落ちていった。

「猩々？　誰の事？」

「そこのジジイに代わって七福神になった妖怪」

黒闇天がニヤニヤと笑いながら言った。寿老人が「ぐ」と低く唸る。

「ああ、夜右衛門。懐かしいわねえ……でも、私の所には来ていないわよ？」

「それはおかしいじゃろ。夜右衛門本人が、吉祥天の所に行ったと言っておったぞ」

福禄寿が言った。

「そう言われても、ねえ」

吉祥天の眉に、僅かに細く皺が入る。その顔もまた綺麗で、都冬は思わず見惚《みと》れてしまう。しかし、黒闇天が都冬の顔を見ていることに気が付き、都冬は慌てて吉祥天から目を逸らした。

「そう言えば、この前、黒闇天の所にお客さんが見えてなかったかしら」

「ええ、来たわよ」黒闇天はクックと細く閉じた口から笑いをこぼしている。

「まさか、お主があの妖怪をよこしたのか」

「さあ、どうかしらねぇ」

「なんでそんな事するんじゃ。儂らに何の恨みがある」

「誰からも構って貰えないんだから、むしろありがたいと思って欲しいものだわ」

「別にお主なんぞに構って貰わんでも、儂らにはちゃあんと慕ってくれる人間がおるわ」

寿老人は鼻息で髭を揺らす。

「そんな人間いるもんですか」黒闇天は馬鹿にしたように笑った。福禄寿と寿老人は、その反応を見て呵々と笑い返した。

「それがおるんじゃ！」寿老人が高らかに声を上げる。

「そこの、いかにも信心の無さそうな人の事？」

黒闇天は都冬を見ながら顎をしゃくる。

「違うわい。その名も、九典杏子さんじゃ！」

福禄寿に軽く否定され、都冬は苦笑いを浮かべた。

「きゅうてんきょうこ？」吉祥天は首を傾げながら、ゆっくりと復唱した。

「くのりきょうこ、かも知れんがな。とにかく杏子さんじゃ。毎日ぶろぐにこめんとをくれるんじゃぞ！」

寿老人が胸を張る。

「本当にそう言う読み方かしらねぇ……」

黒闇天はそう言うと、口の端をぐにゃりと曲げた。

「本当の読み方は儂らにも分からんがな。ともかく、儂らを応援してくれる素晴らしい人じゃ」福禄寿が顎を擦りながら言う。

「へえ、素晴らしい人ね」

黒闇天は再びクックと笑った。

「何がおかしいんじゃ」と寿老人が眉を顰ひそめる。

「儂らのぶろぐのあくせす数だって凄いんじゃぞ。この間なんて、一日に二万人じゃぞ」

「へーえ」

「あ、ツイッターのフォロワーも凄いんですよね」と都冬は助け舟を出した。

　それでも黒闇天の笑いは収まらない。

「きっと、その名前の読み方は、くてんあんこ、だわ」

　黒闇天の言葉を聞いて、老神たちは互いに目を合わせ、再び黒闇天を見返した。

「そんな変な名前じゃないわい」

「そうじゃ。なんじゃ、あんこって」

「アナグラムも分からないのかしら、このジジイたちは」

　黒闇天は半ば呆れたように溜め息を吐いた。

「あなぐら？　何の事じゃ」福禄寿が都冬を見た。都冬も分からず、首を横に振る。

「馬鹿ばっかりね。つゆふるはな、よ。榛名都冬ちゃん」

「露降る花？」皆目見当が付かず、都冬は頭を捻る。

　つゆふるはな……つゆふるはな。

　――あれ？　もしかして。

「はるなつふゆ、になる？」

「良かった。本当のお馬鹿じゃなくって」

「どういうことじゃ、つふゆ」福禄寿が首を傾げる。

「文字を入れ替えるんですよ。つゆふるはなを組み替えると、私の名前になるんです」

都冬が言うと、福禄寿も寿老人も指で空中に文字を書き、入れ替え始めた。吉祥天は天井を見つめながら、皆に悟られないように小さく手を動かしている。やがて方々から「おお」と言葉が漏れた。

「それがどうしたんじゃ」

「だからさっきの、くてんあんこも同じように入れ替えれば——」都冬は早速空中に文字を書いた。

——あ。これは、まさか。

「こくあんてん」

都冬、福禄寿、寿老人、そして吉祥天の声が重なった。黒闇天はそれと同時に、高らかに笑い出した。

「唯一のファンがアタシで残念だったね！　あはははは」

黒闇天の笑い声が蕎麦屋に響く。福禄寿と寿老人は口を開けたまま呆然と固まってしまった。吉祥天は二柱の老人を気にした様子も見せず、再び蕎麦をつるつる啜り始める。

「因《ちな》みに、ブログのアクセス数も、ツイッターのフォロワー数も、全部アタシだから。残念ね！　あはははははあ」
黒闇天はより一層大きな声で笑った。
あははあ。
つるつる。
あははあ。
つるつる。
「都冬ちゃんも、お食べ」吉祥天に勧められ、都冬は取り分けられた蕎麦を啜った。
美味しかった。
店の外は、どんよりと厚い雲が覆っている。
福助はまだ、帰ってこない。

第五章

酒と環と男と女

「もしもし」

「あ、お姉ちゃん。問題です。いま、私はどこにいるでしょう」

「知らん」

「実はね、今、お姉ちゃんの家のドアの外におるよ」

「え?」

「へぇ、こんなとこに住んどるんや。入って平気?」

「ち……ちょっと待――って、誰もおらんないけ」

「うそうそ。実は今、お姉ちゃんの家の近くの商店街におる。電気屋さんの前」

「え、ほんまけ?」

「それも嘘。今、東京駅におる」

「どんどん離れとるけど。一体何《なん》なんけ」

「あたし、マリーさん」

「メリーさんじゃないがけ」

「結婚するからマリーさん。あ、でも、めでたいからメリーさんでも良いちゃ」

「東京におるがはほんまなんけ？　なんでなん？」

「お姉ちゃんはご存じないかもしれませんけど、結婚式を挙げようとなると、ちょくちょく旦那様のご実家に挨拶をせねばならないんですよ」

「何その口調。でも、なるほど、ためになります」

「それでね、せっかくやからお姉ちゃんにも会ってあげようかと思って。暇やろ？」

「あのね、お姉ちゃん、バリバリ働いとるんやけど」

「え、今日は日曜ながに？」

「……平日の話」

「やから今日は暇やろ？　どこかでお茶しよまいけ」

「え、まさか、秋菜の旦那さんもおるんじゃないやろうね」

「大丈夫、おらんよ。だってお姉ちゃん、男の人苦手やろ」

「別にそんな事無いんやけど。むしろ得意なんやけど」

「あ、ちごうか。男の人がお姉ちゃんを苦手なんやったっけ」

「秋菜、それは悪口やね？」

「なら、あとでねー」

都冬と秋菜は銀座にあるデパートの地下を縦横無尽に動き回っていた。栗みたいな形の髪の毛を小気味良く揺らす秋菜の後を、負けじと姉が追いかけていく。

日曜日のお昼時だと言うのに思ったほどの人混みはなく、絶好のデパ地下日和だと二人は猛っていた。そうして銀座のデパートの地下を次から次へ、モグラのように掘り進んでいく。秋菜が両親や職場の仲間にお土産を買って帰るというお題目を高々と掲げ、二人は大手を振って練り歩き、大口を開けて試食をした。

幾つかの商品を買い、それ以上の商品の試食を済ませた二人は、デパートの一角にソフトクリームの看板を見つけ、これ幸いと勢いよく飛び込んだ。デパートにあるソフトクリームが最強である、という二人の持論は未だに変わっていない。

「やっぱり、結婚したら、仕事は辞めた方が良いのかなあ」

チョコとミルクのソフトクリームを舐めながら秋菜が言った。結婚するからには、都会では標準語を喋らねばならないという彼女独自の理論があるらしく、秋菜の口調はどこか少したどたどしい。憧れよりも、焦りなのだろう、と都冬は妹の心境を察し、付き合う事にした。都冬も環も、都会に出て来た時こそ、地方訛《なま》りを抜くのに苦労したものだが、今では何の苦労も無く互いに標準語で会話をしている。慣れ、とは恐ろしいものだ。

「仕事、楽しいの？」都冬の手の上では、抹茶とミルクが斜めに境界線を作っている。

「うん」

「旦那さんが辞めろって？」

「いや、そんな事は言ってないんだけど、でも、向こうの両親はどうやら専業主婦になってもらいたいらしくて」

「ああ、なるほどね」

「働く女として、お姉ちゃんはどう思うね」

「ううん――」

都冬が失業中である事は、妹の秋菜も含めて家族には一切伝えていない。実家にいる両親の耳に入りでもすれば、すぐ田舎に帰って来いと催促の電話が掛かってくるに違いない。

「でも、働きながら家事って大変でしょ」

都冬は働いていた頃の自分の部屋の惨状を思い出す。今でも綺麗とは言えないが、その当時は洗濯物は干したままで、そこから今日着る服を選んでいたし、キッチンは洗い物で山積みだった。

「役割分担をするつもりなの」

「そう言うの、最初のうちは、うまく行きそうだけどねえ」と都冬は首を傾けた。「お互い仕事が忙しくなり出すと、うまく回らなくなりそうじゃない？　忙しい時期って結構重なったりするらしいし。そうなっちゃうと、今は優しい旦那様も色々とグチグチ言ってきたりして、結婚生活自体が重荷になっちゃうかも知れないよ」

都冬はそれらしい事を言ったが、ほとんどが友人の環から仕入れた情報だった。

「グチグチ言うんかな」

「言わないと思う？」

今度は秋菜が首を傾げた。くるくるとソフトクリームを回しながら「言わないと思うんだけどなあ」と唸るように呟く。それを聞いて都冬は小さく笑った。秋菜は夫となる人の今を、とても信じているのだ。

「今後の事も考えると、蓄えはあった方が良いしなあ」

秋菜とそんなやり取りをしながら、自分の妹が一人の女性として成長していた事に、都冬は今更ながら気が付いた。妹は間もなく結婚するのだ。ついこの間成人式を迎えたような妹に、結婚はさすがに早すぎるだろうと都冬もやきもきしたものだけれど、あっという間に大人びている。取り残されたような感覚を抱き、都冬は手に持ったソフトクリームを見つめた。

「旦那様に相談してみるかな」

「それが良いよ」

「でも、なんか向こうのお母さんの意見を尊重しそうな気配もあるんだよね」

「あら、マザコン」

「そう思いますかね」

「どうでしょうね。ただ、ある一説によるとね――」都冬はそこで、ソフトクリームを舐めきり、コーンに齧《かじ》りついた。「全ての男はマザコンなんだって」

「なにそれ、詳しく」

「男の人は潜在的に母親を求めているらしいよ。だから妻となる人には、自分の母親役をして欲しいんだって。世の中の大抵の男性が、自分の母親にご飯を作って貰ったり、洗濯をして貰っていたわけでしょ？　だから妻にもそうして欲しいんだよ。子供の頃、家に帰ったら母親が居たように、仕事から帰ってきたら、家に妻が居て欲しいものなの」

「ほほう」秋菜は姿勢を正した。

「男性が母親に依存するのは当然なんだって。だって、基本的には、男性の人生の中で一番長い間近くにいた異性が母親なわけだから。そして例えば、それが悪い母親だったら、妻には良い母親を求めるし、良い母親なら、同等かそれ以上を求める。男の人って言うのは、常に母親の像を追い求めるマザコンなわけなのだよ」

「なるほど」秋菜は大きく頷いた。

「じゃあ、女の場合は？　ファザコンになるのかな」

「父親は大抵家に居ないから、母親のソレほど強い結びつきにはならないんじゃないか、と言うのがこの説の論調ね」

「ふむう」

「それにね、大人になったつもりの男性は、母親に食べさせてもらっている事を酷く嫌うのよ。自立してないと思われたくないわけ。母親イコール妻である事はさっき言ったでしょ？　だから、妻の方が収入が多かったり、あるいは妻が働いている事自体を嫌がる男が多いのよ」

「おお」と秋菜は手を打った。思い当たる節があるのだろう。「これ、誰の意見なん？」

「もちろん私──の友人」

「ひょっとして、環さん？」

「大正解」

「やっぱりな。お姉ちゃんから出てくる言葉じゃないわいね」

「これを男性に言うと絶対怒るらしいから、言っちゃだめだって」

「そうや……そうね」と秋菜は頷いた。

「男はマザコンかあ……」

秋菜はコーンを齧りながら、ぼんやりと天井辺りを見つめていた。

「マザコンなのかねえ……」

都冬も想いを馳せる。出てくるのは、仁谷の顔だった。その隣には、あのカフェの女性店員の白い笑顔。

――今頃、幸せな休日を過ごしているのかなぁ。

都冬はそんな事を想像しながら、アイスクリームのコーンを食べきった。

今日も厚い雲が空をどんよりとおおっている。

深大寺に行ってから、福禄寿と寿老人はブログを更新しようとせず、一日中ぼんやりと過ごしている。杏子さんが黒闇天だった事が余程ショックだったようで、パソコンには見向きもしなくなった。あまりに落ち込みが激しかったので、都冬が奮発してたくさんの目新しいお菓子を買って帰ると、押し退けあいながら我先にと食べるので本当は落ち込んでいないのかも知れない。

福助は深大寺で別れてから一向にアパートには姿を見せず、台所の隅にはたくさんのカボチャが積まれたままだ。そのままにしておくのもどうかと思うので、都冬はインターネットのサイトを頼りに、見よう見まねで料理をしてみようかな、と考えた。そして、大黒天を心配していた福助の顔を思い浮かべながら、都冬は大黒生の事を思い出した。

「そういえば、大黒生の試飲会、今日なんですよね」

「どうせ、それも黒闇天じゃろ。字も似とるし」気だるそうな寿老人の声が返って来た。

「でも、メールには試飲会の会場も書いてありましたが」

「そこに行ったら、あの不味い蕎麦をたらふく食わされるに決まっておるわ」

福禄寿は今にも消え入りそうな声で言う。

「そうでなくても、最近なんだか調子が悪いんじゃ」

寿老人はそう言いながら、自分の肩をトントンと叩く。

「なんじゃろうなあ、この感じ」

福禄寿も同じ意見のようで、顎鬚をそすそすと触っている。

黒闇天にやられた事が、よほど尾を引いているのだろう。一体、今までどんな仕打ちを受けてきたのだろうか。興味はあるけれど、聞いてはいけない気もするけど――。

試飲会ならタダでお酒が飲めるんだよな、と都冬はこっそり思った。試飲会の会場は赤坂と記されている。

とりあえずは腹ごしらえ、と料理に取り掛かろうとした時、郵便配達のバイクがアパートの前に止まる音がした。バイクなんてちっとも詳しくないのに、郵便配達のバイクの音は、どうしてそれだと分かるのだろう。

しばらくしてキシキシと階段が鳴った。

コン、コンと家のドアがノックされる。届け物だろうか。

「都冬さーん。たった今手紙が届いたぞー」

声の主は夜右衛門だった。

部屋の隅でぐでんと潰れていた寿老人がピクリと反応する。都冬は慌ててドアへと向かった。

「よう。手紙、届いてたよ」

「それ、今届いたんですよね？　まさか、ずっとアパートの前で待ってたの？」

「馬鹿言え」夜右衛門は大きく手を振って否定した。「毎日じゃねぇよ」

「あ、そうですか」

夜右衛門は自慢げに手紙を向けた。しっかりと裏には武藤環と記されている。「さすが環、返事を出すとは」と都冬は心の中で呟いた。

背後に神様の視線があるような気がして、都冬は夜右衛門を押し出すように外へ出た。

「なんだなんだ」

「今ちょっと、具合悪いから……外へ」

夜右衛門を連れたまま草臥《くたび》れたアパートを離れ、近所の小さな公園へ向かう。「姿、周りには見えないんですよね？」と念を押すと「おう」と返って来た。

公園には、小さな滑り台と古ぼけた緑のベンチと、人が乗るとびゅんびゅんとバネで動く色の剥げたアザラシの乗り物しかない。ちょっと寂しい公園だった。

「私、何か書くもの取ってくるので、その間に手紙読んでおいて」

「都冬は読まないのか？」

「そりゃ、読めませんよ。私宛てじゃないんだから」

「そういうもんか」

「字は読めますよね？」

「おう、馬鹿にするな」夜右衛門は硬い表情で手紙を広げた。

都冬はそんな夜右衛門を一人残し再び家に戻ると、神様たちとは視線を合わさぬように筆ペンと封筒、それと小さめの画板を手提げ袋に入れて、再び公園へと引き返す。

灰色の空の下、子供のいない寂しい公園に、真っ赤な妖怪がポツンといる。「絵になるなあ」などと思った。ついでにお絵かきセットも持って来れば良かった。

「どうでした？」都冬は小さな声で囁いた。

「凄いぞ。なんと、感謝の言葉から始まり、環さんの近況報告まで書かれている」

夜右衛門は込み上げる喜びを堪えるように顔をひしゃげている。普通の手紙にも思えるけれど、妖怪からすれば物凄い事なのかもしれない。都冬は環が真面目に返事をしてくれた事に感謝した。

「何でも、最近旦那とうまくいっていないらしい」

この妖怪。都冬は「こら」と怒った。

「そう言う部分は、他の人に言っちゃ駄目」

「え？　そうだったか」

「貴方を信じて書いてくれてるんだから。信頼の裏切り」

環も環だ。初めての返事にそんな内々の事を記すなんて。

——でも、旦那と喧嘩でもしたのだろうか。少し気に掛かる。

夜右衛門は「しまった、しまった」と頭を抱え込んでいた。

「今回だけは特別に許してあげます。でも……環が結婚してても、その、大丈夫なんですか？」

「ん？　何で？」夜右衛門は犬みたいに不思議そうな顔をして首を傾けた。「人間の女ってのは、旦那がいると友達にはなれないのか？」

「あ、いや、そんな事はありませんね」と都冬は口ごもってしまう。

画板を取り出し、ひざの上に載せ、固定する。

「じゃあ、返事を書きましょう。紙はまた、用意してあるんですか？」

「ああ、それがさ、紙舞の紙はもう無いんだよな」

「別に、普通の紙で良いんですよ」

「一反木綿《いったんもめん》の体をちょこっと切り取って来ようかとも思ったんだけどな」

「絶対やめて下さいね」

　夜右衛門は困ったように笑うと、懐から折り畳まれた紙を取り出した。夜右衛門と相談をしながら、環にこれ以上込み入った内情を書かれると返事を書くのも躊躇《ためら》われるなあ、なんて思いながら都冬は筆を走らせた。

「環に聞きたい事とか、無いんですか？」

「聞きたい事？　例えば？」

「好きな食べ物とか、そう言う感じの」

「む、そうだなぁ……」夜右衛門は首を捻る。「好きな妖怪は――いや、それよりも前に、妖怪は大丈夫ですか？　からか。いや――」

しばらくぶつぶつと呟いた後で「好きな色は？　にしてくれ」と言った。これまた、随分と回りくどい好意の確認だ。

　手紙の投函を見届けると、夜右衛門は満足そうな顔を浮かべて去っていった。このまま家に帰って、落ち込んだ神様たちと過ごすのも気が重い。

　都冬は携帯電話を取り出し、しばらく弄んだ後、電話を掛けた。

都冬は窓際の席に座り、どんよりとした街並みを眺めていた。

また、このカフェに来るとは思ってもみなかった。

赤坂は、昼と夜とではまったく違う顔をしている。人通りは少なく、がらんとしていた。この間訪れた街と同じだなんて、到底思えない。このカフェ「ラフカ」にしてもそうだ。前はあんなに盛況だったのに。

夜右衛門と別れた後、都冬は環に電話を掛けた。電話越しの環の声は随分と沈んでいた。夜右衛門の言った通り、旦那と上手くいっていないのかも知れない。落ち込んでいる環を慰めようと、都冬は慌てて食事に誘った。

「都冬からのお誘いなんて、珍しいね」

「外に出るついでだから」

「それも珍しい」

「うるさいですよ。環は、何か食べたいものある？」

「うーん」環はしばらく唸った後で「都冬にまかせる」と言った。

「あ、そう？」

外食先はいつも環が決めていたし、都冬は働いていたときから牛丼屋やラーメン屋で昼食を済ませていたので、環が好みそうな店を全く知らなかった。ランチ、ランチと頭の中の引き出しを探っていると、一つの店が思い浮かぶ。

「赤坂にあるんだけど」

「まさか、都冬の口から赤坂なんて単語が出てくるなんて」

そうして、環を引き連れて辿り着いたカフェは、先日訪れた「ラフカ」だった。相変わらず可愛らしい外観が都冬の心を沈ませる。

「この店知ってる。ちょっと前にテレビで特集してた」

「あ、そうなんだ」

「ランチが安くて美味しいとか、店員が人気だとかなんとか。すごく混んでるらしいじゃん。まさか都冬がこの店を選ぶとは」

「この間、来たんだ」

「あ、そうなの？　どうだった？」

「ディナーでパスタを食べただけだから。カルボナーラ」

「美味しかった？」

「うーん、覚えてない」

都冬が覚えているのは、はにかんで笑う仁谷の顔と、可愛い女性店員の綺麗な手だけだった。

「ディナーとランチは別物だからね。きっと美味しいはず」

環は颯爽と緑のドアを開ける。都冬はその後に付き従った。

木製の床と白い壁。都冬は店の中を見回す。客は一組だけ。女性店員が配膳をしていたが、このあいだの彼女では無い。「ありゃ、おかしいな」と環が呟いた。エプロンを巻いたコックが厨房から出てきて、都冬たちに対応する。

「今日は空《す》いてるんですね」席に案内されながら、都冬が尋ねた。

「先週くらいから、こんな感じでしてね」とコックは答えた。整えられた口ひげを生やした、気の良さそうな中年のコックだった。

「駅前も、ちょっと寂れた感じだったもんね」

環はコートを脱いで、椅子の下に置かれた籠に入れた。そう言われれば、銀座のデパートも人が少なかったな、と都冬は頷いて、椅子に座る。ランチセットを二つ注文すると、コックは静かに頭を下げて、厨房へと戻って行った。

「わざわざ赤坂でランチだなんて、この後、どっか行くの?」

「ああ、ええと――」都冬は口籠《ご》もった。食事の後、外出ついでに大黒生の試飲会に行ってみるつもりだった。しかし、それを環に伝える事は、すなわち、都冬がブログを書いている事を伝えねばならない。

　数秒の間に必死に頭を捻り、結局、大黒生の試飲会に行く旨を伝えた。ただし、ブログを書いている友人の代わりに、という設定に変更する。福禄寿や寿老人も日記を書いているのだから、あながち嘘という訳でもないだろう、と自分を納得させる。

「へぇ、最近はそんなのもあるんだ」

「今は誰もがブロガーですからね。情報の伝播《でんぱ》力は侮れないんじゃないかな」

「確かにね」と環は頷く。そして「私も行くわ」と言い出した。

「その試飲会、連れてってよ。飲んでみたいし」

「え、でも、ブロガー向けのだから」

「一緒に行けば、まさか帰れとも言わないでしょ。いざとなったらブログに書きますよって脅してやれば」

「恐ろしい事を……」と言いつつも、いつもの環が戻ってきたようで都冬は少し安心した。

「最近、旦那が仕事で遅くてさ」

　環はおしぼりで手を拭きながら言った。

「忙しいんでしょ。忙しいのは会社の景気が良いって事なんだから、良い事じゃない」

「いや、逆逆。どうも、急に景気が悪くなったらしいわよ。取引先からのキャンセルが凄いんだって。だから、毎日対応に追われてるみたい」

「あ、そうなんだ」

「毎日、遅くに家に帰って、寝て、起きて、会社行っての繰り返し。私との会話はほとんど無し。これじゃ、夫婦だか何《なん》だか全く分からないわよ」

「うーん」

都冬は首を横に傾けた。「環の言い分も分かるけどね。でも、旦那さんがそうやって頑張ってるお陰で、こうしてランチが食べられるわけで」

「それはそうなんだけど……昨夜も喧嘩してさ」

「え、そうなの？」驚きつつも、都冬は夜右衛門に宛てられた手紙の内容を思い出した。

「だから、昼間っから飲んでやろうと思って」

「試飲会でヤケ酒する気？」

「今後ヤケ酒として使えるかどうかのテイスティングだね」環は大きく笑った。

そうしている間に、前菜が運ばれて来る。都冬は店員の手を眺め、目を逸らし窓の外を見つめた後、定位置へと戻る店員の後ろ姿を追いかけ、そのままぼんやりと店内を見渡した。

「どうしたの？」

「あ、いや」

「何か捜してるみたいだけど」

都冬は「ううん」と首を振り、フォークをサラダに突き刺した。

前菜を食べ終える頃に、店員がお盆にメインディッシュを載せてやって来た。崩れた卵が美味しそうなオムライスがテーブルに並べられる。

「あの」都冬は思い切って店員に尋ねた。「真弓さんは、どうされてますか？」

一体何を聞いているのだ、と都冬はすぐに後悔する。けれど同時に、それが知りたくて自分はこの店を選んだのではないか、とも思った。

そうだ。自分は、知りたかったのだ。あの女性店員が、仁谷と幸せに過ごしているのかどうか。ひょっとしたら、仁谷が店に来ているんじゃないかとまで考えていた。見たくないけれど、見たかった。知りたくないけれど、知りたかった。

「ああ、日野さんですか……」と店員は顔を曇らせる。

「この間から連絡が取れなくなっちゃったんですよ。欠勤の連絡も無くて。日野さんとお知り合いなんですか？」

「あ、いや、全然。この間お店に来た時にお会いしただけで」

都冬は大きくかぶりを振る。店員は釈然としない様子で「はあ」と頭を下げると、再び所定の位置へと戻っていった。

この間から、と言うのは、都冬がこの店を訪れた時だろうか。都冬の耳に、あの時流れた幸せな音楽が響く。

ヤケ酒だ、と都冬も心を決めた。


一ツ木《ひとつぎ》通りをしばらく進み、右折して狭い路地を歩いて行くと、目当ての会場に辿り着いた。黒闇天の企みかもしれない、と内心冷や冷やしていた都冬は「試飲会」と書かれた看板を見てホッと胸を撫で下ろす。イベントは確かに存在しているようだ。

正方形の所々をくりぬいたような不思議な建物で、複数のイベントが同時に行える施設のようだった。受付のそばには「まもなく発売！　大黒生」と銘打たれた看板が置かれている。都冬は少し緊張した面持ちで受付に名前を告げた。自分が未発売の大黒生を宣伝していた人間です、と公表するようなものだ。

受付の女性は名簿のようなものに目を落とすと、チラ、と上目遣いで都冬を見た。間違いなく気付かれている。都冬は目一杯の作り笑顔をしてみせた。

「あの、友人も連れてきてしまったんですが、良いですか？」

一つ恥を掻いたのだから、あとはいくつ掻いても同じだ。都冬は尊大に言った。受付の女性は困惑した表情で「少々お待ち下さい」と告げると、早足で会場内へ向かって行った。やがて戻ってきた受付の女性は「大丈夫です」と恭しく頭を下げ、幾つかの薄い冊子を手渡してくる。ぱらぱらとめくってみると、会社の概要、大黒生の生成方法、運送方法などが記されていた。

「にぎわってるね」会場内に入るなり、環が声を上げた。「ほんとだ」と都冬も相槌を打つ。予想以上に人が入っていた。

床から生えてきたようなテーブルが幾つも並んでいて、そこには黒を基調としたビールの缶が所狭しと並べられている。中央には四角い台が置かれていて、その上に缶ビールがピラミッドのように綺麗に積み上げられていた。

端にあるテーブルで喉を渇かしていると、間もなく試飲会が始まるとのアナウンスが会場内に響いた。奥に設けられている舞台に、冴えないスーツ姿の男性が現れる。

ちらほらと拍手が鳴り、それが静まると、男性がたどたどしく大黒生の説明を始めた。同時に、胸に大黒生と銘打たれたポロシャツを着た女性たちが、それぞれのテーブルに缶ビールを配って回る。壇上の男性はその間も演説をしていたが、ビールに意識を取られた都冬の耳には殆ど入ってこなかった。いきなりの不況でどこの企業も汲々《きゅうきゅう》としている中、タガミ・ブルーイングは目覚しい発展を遂げている、とか、会社全体に鎖を繋がれて、大きな力で思い切り振り回されているようだ、とかなんとか、苦労話や自慢話ばかりだったと思う。

「それでは、皆様、ビールを持っていただいて」とアナウンスが入る。

「もうずっと持ってるわよ」と環が愚痴をこぼした。方々からプシュ、ピシュと気持ちの良い音が上がる。都冬もプルトップに手を掛け、音を鳴らした。

「大黒生の濃厚な味をご堪能下さい。乾杯」

同時に陽気な音楽が鳴り始めた。

「乾杯」と環が缶を揺らす。都冬もそれに応え、缶ビールを一気に傾けた。

炭酸が喉を通り過ぎ、少しの苦味と共に胸の中へと落ちていく。なかなか美味しかった。

「美味しいね」と都冬が言うと、「これだけ待たされりゃ、何だって美味しいわよ」

と環が笑みを浮かべる。

「それに、昼間から外で飲む酒が不味いはずないじゃない」

なるほど、と都冬も納得した。

「これって飲み放題なのかな」

都冬が缶を揺らすと、残り少ない液体が寂しそうな音を出して揺れた。

「あのお姉さんが沢山持ってる」環が会場を歩き回っているポロシャツの女性を指差した。

もう一本良いですか、と頼むのはとても緊張したが、三本目からは全く気にしなくなった。それから都冬と環は二人して、会場の端のテーブルに空き缶で王家の墓を築いた。

「そう言えば、最近どうなの」

環はそう言ってにやにやと笑う。ほんのりと頬に赤みがさしていて、美人な上に愛らしかった。

「最近って、何？」

「この間、せっかくの私の誘いを無下《むげ》に断ったじゃない。どうだったの？　その日は」

「あれ、私、何か言ったっけ」

都冬が環の誘いを断ったのは、仁谷に呼び出された日だ。しかし、その時自分が何と言い訳をしたのか、都冬は全く覚えていなかった。

「大事な予定があるからとか何とか……殿方と逢い引きとしか思えませんわよ」

「あー、うん。ええと……」

言うべきか言わざるべきか思い悩んだが、酒の勢いも手伝ってか、気がつけば、都冬はその日にあった出来事をつらつらと語ってしまった。

「何それ!? 信じられないんだけど!」

話を聞いた環は憤懣《ふんまん》遣《や》る方《かた》無《な》いと言った顔で、顔をさらに真っ赤にして怒り出す。

「最低なやつね、その仁谷君とかいう男! 違う展開を期待してた都冬が、まるで馬鹿丸出しじゃない」

「うん、丸出しだった。けど、そこまで私を罵倒しなくても大丈夫だよ」

「ちょっと、電話貸して」

そう言って環がこちらに手を差し出す。勢いに押されるように、都冬は携帯電話を彼女の手のひらに載せた。

環は慣れた手つきで携帯電話を操作すると、耳に当て、空いた片方の手でビールをグイと飲む。

彼女が一体何をしようとしているのか分からず、都冬が首を傾げていると、

「電話してやるわ」と声が返ってきた。

「え？　誰に？」

「最低男——あ、もしもし？　仁谷君とやらですか？」

「は？　え、ちょっと環！」

都冬は慌てて電話を奪い返そうとするが、環はそれを巧みにかわし、電話の相手と会話を進めていく。

「私、武藤と言います。榛名さんの友人で、小学校の時から仲良くしてるの。そう。それでね、あんたこの前、都冬を呼び出したでしょ？　どこに呼び出したのか知らないけど……え？　ラフカ？　ラフカってさっき……」

そこで、環がチラと都冬に視線を送る。先ほど二人が食事をしたカフェの名前が挙がり、都冬は必死に言い訳を探したが、上手い言葉が見当たらなかった。

環は哀れむように首を小さく振ると、怒りの矛先を電話口へぶつける。

「どこに行ったたって良いわ。問題なのは、あんたがやった事よ！　あんたとその女は幸せに暮らしましたとさ、で良いかも知れないけど、それに巻き込まれた人の気持ち

にもなって御覧なさい！　大体何なの？　そのシチュエーションに都冬は必要無くない？　都冬は何役なの？　介錯人《かいしゃくにん》？　告白に失敗したら、その場で切腹するから、都冬に首を落として貰おうとでも思ってたの？　江戸か！」

　環が怒涛《どとう》のように責め立てる。酒も入っているので、時折何を言っているのか良く分からないが、彼女を止めるべきなのか、それとも、こうしてバッサリと言って貰った方が良いのか、都冬は測りかねていた。ただ、電話口の向こうで困った顔をしているであろう仁谷を想像すると、ほんの少しだけ気持ちが楽になった。

「すみません？　私にすみませんじゃ済みませんですよ。大体ね、都冬じゃなくてその人を選んだ理由はなんなの？」

「ちょっと、環」

「いいから……え？　どういう事？　だって、告白したんでしょ？」

　不意に、環の口調が変わった。眉の間に深い皺を作っている。

「それ本気で言ってる？」

「え、何？　どうしたの？」

　一体どういう展開になっているのか、都冬は環のそばへ近寄り、携帯電話に耳を寄せる。

「付き合ってません」

微かに、仁谷の声が聞こえた。

「もう別れたってこと？」

「いや、その……まあ、そうなる……んですかね」

「どっちから!?」

環の口調はきつい。

「あんたが振ったの？　それとも振られたの？」

「……」

しばらく仁谷は無言になった。環もまた、答えを聞くまで喋るつもりはないという様に、言葉を発さない。

「……そうですね、僕が振った事になると思います」

「切腹しろ！」

環は携帯電話を握りしめてそう叫ぶと、通話を終了させ、都冬に携帯電話を投げ渡した。

「もう別れたんだとさ。付き合って何日？　自分から告白しておいて、信じられないわ。最低のアホ男じゃん」

「あ、そう、なんだ……」

仁谷と真弓がすでに別れていたとは、都冬には全く予想出来なかった。

「まさか、フリーになったんなら私にもチャンスがある、だなんて思ってるんじゃないでしょうね」

「そんな事、思わないよ」

「絶対駄目だからね。これだから、ゲージュツを齧ってる男は嫌なのよ。自分が一番繊細で、だから誰を傷つけても良いと思ってるんだわ。おお、やだやだ」

環の意見には多分に偏見が含まれていると思ったけれど、しかし都冬は否定する気力も持ち合わせていなかった。

結局、自分には関係の無い話だ。関係の無い所で何かが始まって、関係の無い所で何かが終わったのだ。

それ以上、何も考えたくはなかった。

何も考えたくない。そして、目の前に、ビールがある。

都冬はそれを手に取り、勢いよく呷《あお》った。

時間ギリギリまで飲み続け、会場の外に出る。外へ出ると、街の中をびゅうびゅうと風が吹いていた。「心地好い風をよこせ」と環が空に文句を言う。「そうだそうだ」

と都冬も同調した。

赤坂見附《あかさかみつけ》の駅で環と別れる。別れ際に都冬は「旦那と仲良くね」と声を掛けた。環は「景気が良くなればね」と頬を赤くして答え、反対側のホームへ降りていった。

電車を乗り継いで自宅の最寄り駅まで戻る。馴染みの商店街のあちこちで、看板が倒れ、ビニール袋が舞い、自転車で買い物をしていた主婦が転び、まるで台風でも直撃したみたいな光景が広がっていた。都冬は、しつこく顔に纏《まと》わり付くビニール袋を払いのけ、倒れてくる自転車をかわしながらアパートまで戻った。


都冬がアパートのドアを開けると、部屋の中には都冬がいた。

本棚の前に座って、料理を振舞っている自分の横顔を見て、玄関口にいた都冬は「飲みすぎたか」と自戒する。

福禄寿と寿老人は、都冬と向かい合って炬燵《こたつ》の端に座り、今まさに料理を口に放り込もうという所だった。おつうとひよどりは皿に注がれたスープのようなものをペロペロと舐めている。玄関で立ち尽くしている都冬の姿に、老神たちは同時に気が付いた。あんぐりと口を開けたまま動きが止まり、目だけが大きく見開かれる。

「どういう事じゃ？」福禄寿はそう言って、カボチャの煮付けのような料理を皿に戻した。

「都冬が増えたぞ」寿老人は料理を挟んだままの箸で二人の都冬を指しながら言う。

炬燵に座っている女はゆっくりとドアの方へ顔を向けた。都冬と目が合う。鏡を見ているようだけれど、どこか違和感のある顔。その顔がぐにゃりと歪んだ。笑っているのだ。

「あー、帰ってきたか」

再び女が二柱の神様に顔を向けると、いつの間にかその横顔は別のものに変わっていた。

「こ……こく」寿老人の箸からぽろっと料理がこぼれ落ちる。

「黒闇天」福禄寿が寿老人の言葉を繋ぐように言った。「なんで貴様が――」

「アンタらが落ち込んでるから、こうしてお見舞いに来たんじゃない」

「み、見舞いじゃと」

「そう。お見舞いしに来たのよ」黒闇天はそう言うと、あははあと笑った。そしてカチカチと歯を鳴らしながら、怯える老神たちの顔に近づけていく。

「うひぃ」

「逃げろ」

どちらかが、あるいは二柱ともがそう叫び声を上げると、ボン、ボンと音を立てて小さな煙を巻き起こし、姿を消した。おつうとひよどりはキョロキョロと辺りを見回し、急にいなくなった主人たちの姿を捜している。

風がバタバタとアパートの窓を叩く。

「もうちょっとで食べたのにねぇ」

黒闇天は楽しそうに炬燵の上に並んだ料理を見つめた。一見するとカボチャ料理に見えるけれど、深大寺の蕎麦同様、おそらく中身は違うものなのだろう。それが何なのかを聞くと食べろと言われそうだったので、聞かなかった。

「でもま、ほとんど目的は達成したから良いか」

「目的？」

「あのジジイたちは、これからアンタのことを見るたびに、こいつはひょっとしたら黒闇天じゃないだろうか……って思うのよ。疑心暗鬼の種が、今さっき蒔《ま》かれたわけ」

黒闇天は肩を揺らしながら、嬉々として語った。

「どうして……そんな事を？」

「弱らせてるのよ。相手を弱らせるには、拠り所を奪うのが一番」

黒闇天は暗い笑いを浮かべる。黒闇天は着ている服も髪の毛も真っ黒で、まるで魔女みたいだ、と都冬は今更身構えた。

「弱らせて、どうするんですか」

「別に、取って食べるわけじゃないわ。しばらくひょろひょろのジジイたちを眺めて楽しんだら、また何十年も放っておくの。アタシはね、驚いた顔が好きなのよ。大好物なわけ。だからあのジジイたちを脅かすの」

黒闇天は小学生の男の子みたいな事を言って、クスクスと笑った。楽しいから船を沈める、と言っていた夜右衛門の顔が頭をよぎる。

「アンタを驚かすのも結構楽しそうだけどねぇ」

「私なんか、美味しくありませんよ」都冬は思わず両手を振る。

「だから食べやしないわよ。食べさせる事はあってもね」

黒闇天はカボチャ料理と思しきそれを箸で突いて、あははあと笑う。そして、急に真面目な顔になったかと思うと、

「ふーん、仁谷君、まだ好きなの？」と尋ねてきた。

「え、どうして」

「うふふ」黒闇天は鼻から息を吹きながら笑う。「どうしてかしらねぇ」

盗聴、という単語が一瞬頭をよぎったけれど、よく考えれば黒闇天も神様なのだろうから、あるいは知っていて当然なのかもしれない。世の中の情報を知り、操作する。好きな姿に変身する。神様と言うよりは、スパイみたいだ。そして、この神様はその力を自分が楽しくなる事にだけ使うのだ。

「面白くなってきたわ」

これ見よがしに、黒闇天はそう呟いた。一体何の事なのか、都冬が尋ねるよりも早く、

「さて、姉さんに慌てられても困るし、帰ろ」

黒闇天はスッと立ち上がり、「じゃあね」と言い残すと、普通にドアを開けて去っていった。風がアパートの中に舞い込み、キッチンの食器をガチャガチャと鳴らし、部屋のカーテンを揺らす。

そして、バタン、とドアが閉まる。

面白くなってきた、とは何の事なのか。福禄寿と寿老人に関する事なのだろうか。

そして、

――まだ、好きなのかな。

都冬は誰も居ない部屋の中で、あれこれ考えた。

第六章　七福神大戦争

気象予報士の予報は一週間全部外れた。天気予報図を見ると、大きな雲がまるで自転車の雨除けカバーみたいに日本列島を包んでいて、「こんなの予測出来るわけが無い」と予報士は憤慨していた。日本全土で強い風が吹き荒れ、看板やら植え込みやら、いたる所で物が飛んでいる。各所で鼠が大量発生し、一週間で総理大臣が二回も替わった。鯛の群れが空を飛んでいた、なんて情報まで飛び込んでいて、日本は何が何だか分からなくなっている感じだ。

駅前の商店街は軒並みシャッターが閉まり、冬眠でもするかのように、誰もが日持ちする食料を買い漁って、それぞれの穴ぐらに閉じこもった。必死に営業しているコンビニやスーパーの棚にはほとんど商品が残っていない。幸いにして都冬の家にはカボチャが大量にあるので、調理さえ出来ればしばらく飢える事は無いだろう。福禄寿も寿老人もニュースを眺めながら「うーむ」と腕組みをし、時には髭を触っていた。彼らの好物であるお菓子も当然買えやしない。

びゅうびゅうと鳴る風の音の隙間から、ドンドン、とドアが叩かれた。

こんな風の中を夜右衛門がやって来たのかな、とドアを開けると、吹き荒れる風をものともせず、小さな男の子が腕組みをして立っていた。

「入るぞ」

その子供は都冬の許可無く、ずんずんと部屋に侵入する。土足——と思ったのだけれど、彼は裸足だった。

「お、毘沙門」福禄寿が言う。毘沙門天は部屋に入るなり、どっかりと胡坐をかいた。

「どうしたんじゃ？」

「もうすぐ揃う。おい、茶だ」毘沙門天は顎で都冬に指示をする。

「あ、はい」都冬は思わず返事をした。

その間にも、室内にびゅうびゅうと風が吹き込んで来ているので、都冬はドアを閉める。けれど、閉め切るよりも前に、再びドアが強い力で外へと引っ張られた。

ドアを引っ張ったのは、大きな黒い縁の眼鏡を掛け、寝不足みたいな顔をした、陰気な雰囲気漂う女性だった。その女性は都冬よりも少し背が低かったので、自然と彼女を見下げる形になってしまう。鮮やかな朱色の着物とのバランスが妙に悪い。

「……どうも」

女性は、そのまま風に流されてしまいそうなくらい細い声で言った。そして、毘沙門天と同じように、勝手に部屋の中へと入っていく。彼女も履物は履いていなかった。

「おい、茶は」と再び毘沙門天に催促されながら、都冬はやっとドアを閉めた。

女性は静かに本棚の前に座ると、ぐいと首を捻り、じっと漫画の背表紙を見つめている。

「なんじゃ、弁天《べんてん》まで。同窓会か」

キッチンでお茶の用意をしている都冬に、福禄寿の声が飛び込んでくる。

――弁天様？　今の人が？

そう言えば、どちらかの老神が、弁才天は算盤《そろばん》と琵琶を弾いてばかりの暗い神様だと言っていた。そして、つふゆに似ているとも。確かに、黒縁眼鏡といい、暗そうな雰囲気といい、似ているかもしれない。

「布袋《ほてい》もすぐに来る」

やかんを火にかけ、人数分の湯飲みを用意する。引っ越しの際に母から押し付けられた大量の食器が初めて役に立った。

「何をしようと言うんじゃ」

「作戦会議だ。詳しくは布袋が来てから話す」

チラ、と部屋の中を覗くと、毘沙門天の背中越しに、ふわふわと浮かんでいる福禄寿と寿老人の姿が見えた。弁才天は次々に本棚から漫画を取り出しては、物凄い速さで読み進めている。都冬の視線に気付いたのか、弁才天はチラと顔を上げた。眼鏡の下の瞳はくりくりと大きくて可愛らしかった。

「その漫画、面白いですよね」都冬は思わず声を掛ける。

弁才天が手に持っている漫画はマイナーな雑誌に連載されている、西洋の歴史的人物を描いた漫画だった。

「完結していない漫画の評価なんて出来っこないわ」

弁才天はきっぱりと言った。都冬は気圧されて「はあ」と頷く。

「次の巻は」

都冬を見たまま、弁才天は片手で本棚を指した。その間も、もう片方の手で上手に押さえられた漫画のページはどんどんと捲られていく。

「あ、ごめんなさい。その次の巻、引っ越しのときに無くしちゃって」

都冬が言うと、弁才天は露骨に眉を顰め、再び漫画に視線を落とした。

ぴゅいい、とやかんが鳴り、慌ててキッチンへと戻る。湯飲みと、老神専用の容器を炬燵の上に並べ、恐る恐る急須からお茶を注いだ。

それぞれがお茶を手に取り、啜る。特に感想は無いようだ。

都冬は毘沙門天の向かいに座り、炬燵に足を入れた。

ぐにゃ、と柔らかい感触がして、都冬は思わず「ぎえ」と悲鳴を上げる。

「なんじゃ、一体」福禄寿が驚いて、お茶を少しこぼした。

「こ、炬燵の中に、何か……！」

都冬は炬燵から足を抜き、思い切って炬燵掛けを捲ると、そこには肉まんみたいに大きな顔があり、都冬は更に悲鳴を上げた。

肉まんは「おや」と呟くと、炬燵からのそのそと這い出てきた。大黒天と同じくらいの大きさだろうか。でっぷりとした体にボロボロの布を羽織っている。

「出るところ、間違えた」

大きな太鼓腹をぽこんと叩きながら、男は都冬の左横、弁才天の向かいに座った。

都冬は慌ててもう一つ湯飲みを用意する。

「和尚が呼び出しに応じるなんて、珍しいのう」福禄寿が言う。

「ん？　そうかい？」

「ようやく来たか。これで揃ったな」

「一体何を始めるんじゃ」

「おい弁天、いつまで漫画読んでんだ」

「五月蝿《うるさい》わね。一巻足りないから想像で補ってるのよ」

福禄寿、寿老人、毘沙門天、弁才天、布袋尊。

狭い部屋に、ぎゅうぎゅうに神様が詰まっている。

ありがたいのか、ありがたくないのか——しかし都冬はこっそりと手を合わせ、あれこれ願い事を呟いてみた。

「皆も分かってるだろうが——」と毘沙門天が話し始めた。

「皆も分かってるだろうが、大黒の野郎が恵比寿に戦争を吹っ掛けやがった。おかげで国中ひでえ有様だ。まだまだ睨み合いの段階だからさほど被害は出ていないが、放っとけばそのうち衝突するだろう。そうなるとかなり不味い」

大黒天と恵比寿が戦争？

あまりにも壮大かつ空想的な話に、都冬はあんぐりと口を開いた。本当にそうなのか、と老神たちに目をやると、炬燵の上に座っている福禄寿と寿老人は「そうじゃろうなあ」とか「うむ、やはりか」などと言って頷いていた。

「そんなの、いつもの事じゃないの。大黒が喧嘩を仕掛けて、恵比寿が受け流して、大黒のやる気が失せて、それでおしまいでしょ。馴れ合いよ」

弁才天はさして興味無さそうで、それよりも漫画の続きが気になるようだった。炬燵机の上に置かれた漫画の表紙を指で触っている。

「今回、恵比寿は受ける気だ」毘沙門天の言葉に、他の神様たちがそれぞれ反応する。

「どういう事なの？」弁才天は漫画から指を離す。

「おそらく本気だ」

「そりゃあ、大変だなあ」と布袋が緊張感の無い声を出した。

「つい先日、大黒と恵比寿が神社を賭けて勝負をしたのは知ってるだろ。大黒は負け、結構な数の神社や寺が恵比寿だけのものになった。俺から言わせりゃ大黒の作戦が大甘だっただけだが——とにかく、大黒は失った力を取り戻そうと必死になってる。全国的に展開している大黒の軍勢を受けて立つように、恵比寿も軍を展開させた。まだ号令は掛かっちゃいないだろうが、各地で小競り合いが起こってる」

「ぐ、軍勢？」戦国時代の合戦を連想し、都冬は思わず声を上げた。

「色々と補佐する奴らもおるが、兵隊の大部分は、大黒が鼠で、夷三郎が鯛じゃな」

福禄寿が補足する。鼠と鯛の小競り合い——まったく想像が付かない。

「それなら、大黒と恵比寿を呼び出して、和解させればいいじゃない」

「大黒は行方知れずだ。あの勝負以来、どこの神社にも現れていない」

「吉祥天もそんな事を言っておったな」福禄寿が頷く。

「どうして大黒は隠れておるんだろう」布袋が太い首を傾げた。

「さあな。なにかアテがあるのか――」

毘沙門天は片手で顎を触りながら、難しい顔をする。

「大黒はおそらく、余力を考えずにこの国の流通を止めてるはずだ。俺らもそうだが、特に経済関係に力を注いでいる恵比寿からしてみれば、こんなに迷惑な話は無いだろう。だが、恵比寿の方も、この機に乗じて大黒の力をさらに削り取ろうっていう腹積もりもありそうだ。そしておそらく、このままぶつかれば大黒は負ける。それぐらい今の恵比寿の力は強大になってるからな」

「大黒は、何か勝つ算段でもあって隠れているんだろうか？」布袋はそっと口を挟んだ。

「どうかな。意味があるのかも知れないし、何の意味も無いのかも知れない。とにかく早い段階でこの争いを止めないと、取り返しの付かない事態に陥りかねない。だから、こうして集まってもらったんだ」

毘沙門天が一同を見回した。都冬を除いた皆が一様に険しい顔をしている。

「あの……どうして、集まる場所が私の家なんですか？」都冬は恐る恐る尋ねた。

「そりゃ、あんたも関係者だからだ」

毘沙門天は組んでいる腕を解き、大仰に両手を広げてみせる。

「念波の妨害までされてるからね。こうやって顔を合わせないと会話も出来ないわけ」弁才天は「最悪」と言わんばかりに眉を寄せる。

「それに、我々がどこかの寺社で集まると、大黒や恵比寿に把握される可能性があるからなあ」

そう言いながら、布袋はたるんだ頬を撫でた。

全方位から説明を受け、都冬は「はあ」と頷く他ない。

「さて、どうするかだが……俺、弁天、布袋で恵比寿を止めに行く。福禄寿、寿老人、そして――榛名都冬。あんた達は大黒をどうにかしてくれ」

「仕方ないわね」と弁才天。

「自信無いんだけどなあ」布袋は弱気だった。

「ちょ、ちょっと――」都冬は慌てて口を挟む。「私もですか？」

「ああ、そうだぞ」

毘沙門天が事も無げに答え、都冬は大きく首を振った。

「あの、でも、私、関係ないと思うんですけど……」

日本の未来が懸かっているらしき大騒動に巻き込まれるのは、流石にごめんだった。自分に出来る事なんて、何も無い。

「関係ない？」

「だって、これは神様たちの問題であって、私は人間ですから――」

「人間だから関係ないか？　この国の問題なのに」

毘沙門天はギロリと都冬を睨みつける。

「いや、でも」

「良いじゃない、関わりたくないって言ってるんだから」

弁才天は顔色ひとつ変えず、冷ややかに言った。

「別にこの子が何したってわけでもないし、この国がどうなって行こうが、この子には関係ないのよ」

突き放すような弁才天の言葉に、毘沙門天は眉を顰め、他の神様たちは一様に黙り込んだ。都冬もまた、弁才天の言葉を否定も肯定も出来ず、じっと俯いていた。

「どうせ人間に出来る事なんて高が知れてるんだから。あとで皆の話でも聞いて、へぇ、そんな事があったんだ、なんて思えばいいのよ。この足りない漫画と一緒」

弁才天は、炬燵机の上に置かれた漫画を、とん、と指差した。

「まあいい」毘沙門天はグイとお茶を飲み干す。

「取り上げた俺が言うのもなんだが、恵比寿には、大黒から取った神社を少しでも戻すよう交渉してみる。こうなった責任の一端は俺にもあるからな」

「受け入れないと思うけど」弁才天は呆れたように息を吐いた。

「無くした物を諦めるのは楽だけど、今ある物を手放すのは難しいからなあ」

布袋がしみじみと呟く。

「それでも何とかするしかないな。ただ、あまり長い時間掛けるわけにもいかない。この国はどんどん衰弱してるからな。二日、三日でけりをつけられるよう、迅速に動いてくれ」

「儂らは大黒をどうすれば良いんじゃ」福禄寿が首を捻る。

「頬でも張るか、頭でも撫でるか。やり方はまかせる」

「力仕事は苦手なんじゃがな」

「吉祥天に協力を仰いでみるかのう」寿老人の言葉に、弁才天がピクリと反応した。

「吉祥天には他の神たちを抑えて貰ってる。七福神の存在を気に食わなかった奴らが動き出さないとも限らないからな。だから、こっちには加われないと思ってくれ」

毘沙門天が言い、寿老人は「ふむぅ」と唸る。弁才天が「ふん」と鼻を鳴らした。

「特に意見が無いようだったら、解散にするぜ」

そう言って毘沙門天は立ち上がった。そして、部屋の中にいる神様たちを見渡す。

「いいか、これは七福神の沽券《こけん》に関わる問題だ。皆、出来得る限りの知恵と力を絞ってくれ。弁天と布袋には、後で俺の考えを聞かせる。その上で意見が欲しい。福禄寿と寿老人は、大黒を頼んだぜ」

「うむ」「任せておけい」と老神たちは力強く頷く。けれど、頼もしく見えたのはそこまでで、三柱の神様がアパートから去って行くと、途端に慌て出すのだった。

「どうすればいいんじゃ」「知らん。儂はなんも出来ん」「大体、大黒の居場所なんてどうやって捜せばいいんじゃ」「見当も付かん」

前途多難のようだ。そんな中、ずっと言葉を失っていた都冬に気付いた福禄寿が、

「つふゆ、気にせんでええからな」と声を掛けてきた。

「大丈夫じゃ。これは儂らの問題じゃから。つふゆは家におって、のんびりしておれ」

福禄寿の言葉に、都冬はホッと、息を吐いた。心からの安堵だった。

いつの間にか、日本の未来と、七福神の全てを巻き込んだ大騒動が巻き起こり、そ

の真ん中に自分がいた。まるで見えない壁が押し迫っているような感覚が、恐ろしくて堪らなかったのだ。

「こんな騒動に巻き込まれるとなると、七福神でいるのも考えものじゃのう」

寿老人は皮肉めいた冗談を飛ばす。

「まあ、儂らも七福神の端くれじゃ。大黒天に目に物見せてやるわい」

「見せようにも、肝心のあやつがどこにおるか分からんがな」

ふむぅ、と老神たちは再び頭を抱え込んだ。

都冬の部屋から、福禄寿と寿老人が居なくなった。

彼ら曰く、近くに居たら余計な事を考えるじゃろ、との理由だった。

久し振りに静かになったアパートの一室は、妙に手広く感じられてしまう。

元に戻っただけの事だ、と都冬は自分を納得させる。ほんの少し前まで、こうして一人で暮らしていたのだ。それが、戻って来ただけの事だ。

仕事を探さなければ、とパソコンを開いてみる。こんなご時勢になっても、求人情報があるにはあるのだが、そのどれもが、都冬には少しも魅力的には見えなかった。

ブラウザのブックマークには『福禄寿老人』の文字があり、どうしたって彼らの事を考えてしまう。

ならば気分転換だ、とスケッチブックを取り出す。そこには、厳《おごそ》かに眠る老神たちや、ひよどりやおつうの姿が描かれている。見渡せば、お菓子の山。台所にカボチャはあるし、小さなプラスチックのカップが並んでいる。

都冬は小さく溜め息を吐いた。同居していた彼氏と別れたあとの自室は、きっとこんな感じなのだろう。そんな体験などした事が無いけれど。

そうして、仁谷の事を思い浮かべた。

今頃、どうしているだろう。私と同じように、部屋に一人で、ぼんやりと膝を抱えているのだろうか。落ち込んでいたとして、もしも私が声を掛けたなら、こちらを振り向いてくれたりするのだろうか——と、都冬はそこまで考えて、自分はなんて厭《いや》な女なのだろう、とますます落ち込んだ。

——どうすれば良いって言うの？

誰に言うでもなく、問いかける。

一体、自分に何が出来ると言うのか。神様たちに交じって、何をしろと言うのか。

当然ながら、答えは返って来なかった。

寝て、起きて、寝て、起きる。

今までの生活は、戻っては来なかった。

前にも進まないし、かといって後にも戻れない。

ほんの少し前まで、自分は世界から取り残されていると感じたけれど、世界から隔絶されているのは、今なのかも知れない。

やがて、電話が鳴った。


「もしもし」

「あ、お姉ちゃん。最近大変な感じやけど、仕事の方は大丈夫け？」

「心配せんでも、何とかやっとるよ」

「そう、なら良かった」

「それより、そっちこそどうなんけ。結婚式」

「あ、その話なんやけどね……この度を持ちまして、結婚を中止する事になりました」

「……なんけ、それ。業務報告みたいに言って。どういう事？」

「彼の会社が倒産するかもしれんがやって。やから、来月の結婚式は中止」

「え……そんな」

「だから、お母さんへのプレゼントも買わんで良くなったから、そのお金はどうぞ御自由に、まだ見ぬ殿方にでもお使い下さい」

「……どうにもならんがけ？」

「どうもこうもならんわ。これぱっかりは。人様がどうにかできる事じゃないもん」

「……秋菜」

「不景気と嵐がタッグを組んで、リング上で暴れまわっとる感じやわ」

「…………」

「これからどうなるがやろねぇ、この国は」

「……どうなるんやろうねぇ」

「……私、何か悪い事したがかなぁ」

「え？」

「私の日ごろの行いが悪いから、神様が罰を与えたんかなって」

「だらやね、そんなはずないやろ」

「そうけぇ。まあ、いつかはきっと挙げられるやろうから、それまでお祈りでもしとっちゃ」

「…………」

都冬の頭の中に弁才天の言葉が響く。

『この国がどうなって行こうが、この子には関係ないのよ』

大黒天が暴走するきっかけとなったあの麻雀対決の場に、たしかに都冬はいた。しかし、都冬自身が特別に何をしたわけでは無い。何をするでも無く、大黒天は負けてしまったのだ。これは自分のせいでは無い。ただただ、巻き込まれているだけだ。

ましてや、この国の将来だなんて、都冬には到底考えの及ばない話だった。

けれど、本当にそれで良いの？

自分には関係無いと、ただ事態の行く末を端から眺めているだけで良いのだろうか。

『どうせ人間に出来る事なんて高が知れてるんだから』

弁才天はそうも言った。確かに、人間に出来る事なんて、高が知れている。あの明るさだけがとりえの妹でさえ、今はただ塞《ふさ》ぎ込むしかない。

しかし、自分はどうだ？　少なくとも妹よりは、何か出来る立場に居るのではないか。

もちろん、例えばこの国の景気なんて、良く出来るわけもない。自分はそこらへんにいる普通の人間で……むしろ、そこら辺の人より要領も器量も悪いのだから。

でも、何か出来ないものか。いつになく暗い顔をしていた親友や、電話越しで涙声になっている妹のために。

「――そう言うわけやから、また連絡すっちゃ」

「……」

「もしもし？」

「――私がやってあげる」

「え？　何をけ？」

「私が神様に頼んであげるわ」

「……お姉ちゃん？」

「なんけ？」

「東京で、アヤシイ宗教でも入って、変な神様でも崇《あが》めとるんじゃないやろね」

「惜しいぞ、妹よ」

パソコンを開いて、キーボードを叩いた。

福禄寿と寿老人は都冬を挟むようにして、モニターを覗いている。

居なくなった老神たちを呼び出す為にどうすれば良いか、ほんの少しだけ悩んでしまったが、近所にある福禄寿の神社で鈴を鳴らしたら、老神たちはすぐにやって来た。

「賽銭も入れずに呼び出すとは」と文句を言われたが、無視をして家まで戻り、すぐにパソコンの電源を入れた。

「このぱそこんで、大黒の居場所が分かるんか？」

福禄寿はこれでもかとモニターに顔を寄せた。

「凄いものだとは思うが、そこまではどうかのう」

寿老人は首を傾げ、訝っている。

都冬は先ほどの妹との電話のやり取りで、ふと気が付いた事があった。

「神様はタッグを組んでるんですよ」

「たっぐ？　何を言っておる」寿老人はおつうとひよどりに桃を食べさせている。

妹の言葉を聞いて、都冬は波に乗った恵比寿の姿を思い浮かべた。恵比寿に会いに行ったとき、小さな神社の境内で、恵比寿はサラリーマンと話をしていた。

「恵比寿様は企業の手助けをしているじゃないですか」

「ああ、そうみたいじゃのう」福禄寿が頷く。

「私、この前大黒生を販売してる会社の試飲会に行ってきたんです」

「しいんかい？」寿老人は動物たちに桃を食べさせ終えると、自分でもがぶりと食べた。

「その会社はすごく景気が良さそうだったんですよ。他の会社は皆不景気だって困ってるのに。……これって、もしかして大黒様が関わっているからじゃ無いでしょうか」

「確かに、大黒は自分のビールを応援するみたいな事言っておったがのう」

「大黒生をたくさん売って、知名度を上げて、力を取り戻そうとしている、とか」

「じゃがなあ……大黒の名前が付いたものは、他にも色々あるんじゃろ？」

寿老人が言った。確かに、大黒天の名を冠した商品や店も数多く存在している。

「そうなんですけど……大黒様は恵比寿様のビールに凄く拘《こだわ》っていた気がするんです。あの大黒様の事だから、恵比寿様のビールに対抗するには、こっちもビールで、なんて考えるんじゃないかと思って」

大黒天の内角が突出している所――それはきっと、何事にも「拘る」事ではないか。大きな所では、自分が商売の神である事に相当な拘りを持っていたようだし、小さければ、麻雀勝負を持ちかけた際、都冬の呼び方にまで拘っていた。そんな大黒天が、恵比寿を打倒する為に、自分の名の付いたビールに拘る——というのは、考えられる話だ。

都冬の言葉に、老神たちは「ふむ」と頷いた。

「あながち的外れでもないかも知れんが、そうすると、どうなるんじゃ？」

寿老人の言葉を受け、都冬は鞄を引き寄せ、試飲会で配られていた冊子を取り出した。

そこには、会社の概要や、大黒生に関する情報が大まかに記されている。

「ここに、何かしらヒントがあるんじゃないかって思うんですけど」

都冬は冊子をぱらぱらと捲った。そしてすぐに、自分の思惑が正解であると感じた。

神奈川県の工場で生産された大黒生は、倉庫で保存され、そこから全国の販売店へ輸送されるらしい。その倉庫がある場所が——、

「大黒ふ頭」と都冬は冊子に記された文字を読み上げた。

「そんな場所があるのか」

「なんだかんだ言っても、大黒だって自分の名前が付いた土地があるんじゃないか」

寿老人は口を尖らせた。

「まあでも、そういう場所なら縁もあるじゃろうし、何かと便利かも知れんのう」

福禄寿は腕を組むと、片方の手で自分の髭を弄んだ。

「でも、倉庫の住所までは書いてないんですよね」

都冬は「大黒ふ頭」「大黒生」と打ち込んで検索を掛ける。それらしいページは出てこない。続けて、「大黒ふ頭」「タガミ・ブルーイング」と打ち込んだ。こちらも、大黒生の倉庫の場所を示すようなページは表示されなかった。

「もし大黒ふ頭に大黒様がいるなら、倉庫がどこにあるかとか、分かりますか？」

「儂は無理じゃが、寿老なら分かるんじゃないか」

「大黒がその倉庫の側におるならな」寿老人はひよどりの頭をわしわしと撫でた。

そう言えば、夜右衛門がこのアパートにやって来た時、最初に気が付いたのはこのひよどりだ。ひよどりには神様や妖怪を嗅ぎ分ける能力があるのだろうか。

「居場所さえ分かれば、大黒様を止めることも出来るんじゃないですか？」

都冬は身を乗り出した。しかし、老神たちは首を竦《すく》ませる。

「どうかのう。力を失ったと言っても相手はあの大黒じゃぞ。儂ら二柱でも敵うかどうか」

「やっぱり、そうですか……」都冬は肩を落とす。しかし、落ち込んでも仕方が無い。

援軍が必要だ。知り合いで、助けてくれそうな人、神様、あるいは——妖怪。

都冬の脳裏に赤い顔が浮かんだ。

「夜右衛門に声を掛けてみましょうか」

すると案の定、寿老人が反対する。

「あんな妖怪が何匹おっても、何の役にも立たんわ。まとめて退治されるのがオチじゃ」

「そうですよね」と言おうとしたその時、都冬の頭の中で、パッと何かが弾けた。頭の隅々に飛んでいったそれを急いで追いかける。

——何だ。どうすれば良いんだ。

大黒天、恵比寿、猩々、妖怪、ビール、倉庫、黒闇天。

猩々の内角の和。得意な事。

「相手を弱らせるには、拠り所を奪うのが一番」と黒闇天は笑っていた。

「……拠り所を奪うんですよ」

都冬は頭の中を整理しながら、思い付いたアイディアをぽつぽつと老神たちに語ってみる。

「どういうことじゃ」

「私と福禄寿様が大黒様を引き付けている間に、寿老人様と夜右衛門は倉庫に侵入して、大黒生を確保するんです。そうして、大黒様に馬鹿な事はやめなさい、と要求すれば」

「なるほど。虎の子を人質に取って、大黒を脅すわけじゃな」と福禄寿が頷く。

「ちょっと言い方が悪いですけど。大事なビールなはずだから、大黒様も対話に応じると思うんですよね」

「ひよどりの場所ならおつうが分かるし、良い作戦なんじゃなかろうか」

「何で、儂があの妖怪とそんな事をしなきゃならんのじゃ！」寿老人が吠えた。

「倉庫の場所が分かるのは寿老人様だけですし、人手は多いほうが良いでしょうから」

「いやじゃ！」

「これ寿老。少しくらい我慢せんか」と福禄寿が宥める。それでも寿老人は反論した。

「だいたい、そんな上手く事が運ぶとも限らんじゃろうが」

「でも、他にこれといったアイディアもありませんし」

「そうじゃぞ。やってみるしか無いじゃろう」

「お願いします、寿老人様」

都冬と福禄寿、更にはおつうとひよどりにまで詰め寄られた寿老人は「ぐぐ」と低く唸り声を上げた。

「……どこにあるんじゃ、その大黒ふ頭は」

観念したのか、寿老人はいからせていた肩を落とした。寿老人の機嫌が変わらぬうちに、都冬は急いでパソコンを叩く。

「鶴見《つるみ》神社、という神社が大黒ふ頭の北にあるみたいです」

「鶴見神社――ああ、杉山《すぎやま》大明神か」福禄寿が大きく頷く。

「今回だけじゃからな！」

そう言いながら、寿老人はひよどりを側に引き寄せて、片手の中指と人差し指を立てた。

「あ、あの、寿老人様。色々準備もあると思うので、今すぐと言うわけでは――」

「ふん」鼻から盛大に息を吐くと、寿老人とひよどりはポンと甲高い音と共に部屋から居なくなった。

「……怒らせてしまったでしょうか」

「なに、怒っとりゃせん。あやつが頼み事を引き受けるときは大体ああじゃ」

慰めようとしているのか、福禄寿は目を細めて笑った。

「それより、夜右衛門はどうするんじゃ。どうせあやつの事じゃから、けいたいでんわなんて持っておらんじゃろ」

自分だって持ってないくせに——とは言わなかった。代わりに「多分大丈夫です」と言い、都冬はアパートの外に出る。相変わらず強い風が吹いていて、階段の鉄骨はいかにも頼りなく、草臥れたアパートは更に傾いてしまいそうだ。

都冬は一階にある共用の郵便受けの前に立ち、辺りを見回してみる。木々や電線が揺れ、どこの家の窓も固く閉じられ、人影が無い。

「夜右衛門！」風の音に消されぬよう、都冬は大きな声で言った。

すると、アパートの向かいに立っている電柱の陰が一瞬膨らんだ——かと思うと、赤い顔の夜右衛門がひょっこりと顔を出した。

「やっぱり見張ってたんですね」

「都冬さん」

夜右衛門の顔は暗く沈んでいて、とぼとぼとアパートの入り口まで歩いてきた。

「返事が来ねえんだ」夜右衛門は風音の隙間で呟く。「俺は嫌われたかも知れねえ」

あまりの落胆振りに、都冬は思わず笑ってしまう。

「今がこんな状況だから、郵便配達もちゃんと機能してないみたいですよ。なかなか届かない場合もあるってニュースでやってました」

そのせいで沖縄から塩が届かなくなった、これだけは喜ばしいと環が電話で言っていた。

「本当か？」夜右衛門の顔が、打って変わったように明るくなる。

「逆に、この状況が良くならない限り、手紙は届かないかもしれないですね」

駆け引きの材料にするのは心苦しかったけれど、今はそうも言っていられない。

「ううん」夜右衛門はポリポリと首の後ろを掻いた。

「何だか大変な事になってるらしい、ってのは分かるんだけどな。俺みたいな妖怪には、何がどうなってんのか良く分からねえんだよ」

夜右衛門はそう言って、今度は髪の毛をぼさぼさと掻いた。

「これは、大黒様の仕業みたいです」

「大黒？」夜右衛門は目を見開く。そして、納得したように「そうか」と言った。

「俺はてっきり、どっかの妖怪の仕業かと思ってたぜ。そこいらで鼠が出やがるから、鉄鼠《てっそ》の奴が噛んでると思ってたんだが――そうか、大黒かよ」

大黒天と恵比寿の衝突、残りの七福神の行動など、都冬は今起こっている事と、これからやろうとしている事を出来る限り説明した。話を聞きながら夜右衛門は「ひゃあ」とか「うほう」といちいち煩かった。

「それで、大黒様を止めるためにも、夜右衛門にも力を貸して欲しいんです」

「力を貸すのは構わねえんだけど、俺が神通力を持ってたのは随分昔の話だぜ。今はその辺にいるただの猩々だぞ」

「その猩々の力が必要なんです」

「うーん。しかし、相手は大黒か……」

「前の手紙にも書いてあったと思いますけど、環の悩みの種、旦那さんが帰ってこないのも、おそらくそこに理由があるからなんです」

「本当かよ」夜右衛門が身を乗り出す。都冬は心の中で、環をダシにしている事を謝った。

するとと夜右衛門は何のためらいも見せずに「よし、分かった」と頷いた。

男らしいなあ、と都冬は少し感動する。

だんだんと、夜右衛門の顔も凛々しく思えてきた。妖怪である事が悔やまれる。

「んで、都冬さんはこれからどうするんだ？　一緒に行くのか？」

「いえ、私はもう一箇所、行かなきゃいけない所があるんです」

役に立つかどうかは分からないけれど、やれるだけの事をやっておかなければ。

「そうか。んじゃ、俺は一旦、仲間の所に戻るぜ」

夜右衛門はそう言うと、犬のような姿勢で駆け出し、町の中へ消えていった。


大黒ふ頭の上空の雲は渦を巻いていて、都冬は年末にテレビで放映されていた、地球が大災害によって壊滅するという映画を思い出した。福禄寿は大黒ふ頭の荒涼とした景色を見て「むう」と難しい顔をしている。

二時間に一本だけ臨時に走る京浜急行に乗って生麦《なまむぎ》駅で降り、そこからひたすら大黒ふ頭へ向かって歩いた。大黒町内を何十分も歩き、大黒大橋と名の付く大きな橋の手前にやって来た。この辺りは何もかも大黒尽くしで、まるで、どこかから大黒天に見られているような気がして緊張してしまう。

橋の袂《たもと》から見る大黒大橋は、まるで小高い丘のような傾斜だった。今までの行程ですでに息を切らせている都冬に、福禄寿は「痩せたのう」と嫌味を言う。おつうはあちこちで風に流され、必死に翼を羽ばたかせながら飛んでいる。

大黒大橋に一歩足を踏み入れると、一層激しい風が体を叩いた。その風に押し戻され、都冬は地面に腰を打ちつける。

「つふゆ、大丈夫か」

福禄寿が都冬の側へ近寄る。都冬は腰をさすりながら、大丈夫です、と返した。

「どうやら、ここに大黒がおると考えて間違いないようじゃな」

福禄寿は両手で不思議な指の形を作ると、不思議な言葉を呟いた。すると、どういうわけなのか、吹き付ける風が和らいだように感じられる。

「お主はここに入っておれ」福禄寿は自分の胸元におつうを仕舞い込んだ。

そして、再び歩き始める。

前方に大きな白い主塔が二本並んで見える。道路標識で書かれていた通りだとすれば、あれが横浜《よこはま》ベイブリッジなのだろう。仲睦まじき男女がデートに訪れると聞くけれど、はてここで何をするのだろうと考えながら、都冬たちはようやく橋を渡り終え、大黒ふ頭に上陸した。

「大黒天は儂らに気が付いたぞ」

福禄寿が呟く。「あやつの縄張りに入った、そんな気配がするわ」

いつになく真面目な顔をしている老神を見て、都冬は息を呑んだ。

「こっちで騒がんでも、向こうから出てきてくれるかも知れん」

「寿老人様は、大丈夫でしょうか」

「あっちはあっちで、上手くやるじゃろ」

右、左と注意を払いながら、極端に窓の少ない四角い建物の間を抜けていく。大黒ふ頭には一切の人影が無く、それが一層不安感を掻き立てた。

道案内の標識には「T－1～2」とか「L－5～8」と書かれているが、都冬には意味が分からない。路上駐車されている大型トラックは、コンテナが付いていないからかバランスが悪く、居心地の悪さに拍車を掛けた。遠くには、巨大なクレーンが画一的に並んでいる。赤と白の配色は曇り空の下では全く映えず、びゅうびゅうと吹きぬける風の音が都冬の心を怯えさせた。

ずん。

音が鳴った。

初めは、気のせいだと思った。

ずん。

再び音が鳴り、気のせいではない事が分かった。

ずん、という音が、確かに風に紛れて聞こえている。

風が何かを揺らしたのだろうか。その音は、ゆっくりと、定期的に鳴っている。

ずん、ずん。

都冬は立ち止まって耳を澄ます。福禄寿もその音に気が付いているようで、じっと辺りを窺っている。

ずん、ずん。ずん、ずん。

何か、とても重たいものが近づいてくる。確実に、少しずつ。嫌な予感が膨らんでいく。その事実に、目を、耳を背けたかった。

ずん、ずん。ずん、ずん。ずん、ずん。

どうやら左前方の建物の奥から、その音は聞こえてくるようだ。都冬は建物の陰に視線を集中させた。

途端、何十、何百匹の鼠がその陰から溢れ出し、都冬の脇を通り抜けた。

一瞬にして、都冬の肌が粟立つ。数が多いという事は、それだけでおぞましいものなのだと、都冬は体を硬直させたまま理解した。

無数の鼠が道路中を埋め尽くし、絨毯《じゅうたん》のように広がっていく。

再び、ずん、と音が鳴り、建物の奥から巨大な人型の影が姿を見せた。

その影は建物の二階くらいの高さで、足は二本だけれど腕は六本あり、顔の左右に、お面みたいに顔が張り付いていた。どれもこれも怒った顔をしていて、都冬は中学の修学旅行で見た金剛力士像を思い出した。そして、その金剛力士の足にも手にも頭にも、沢山の鼠がちゅうちゅうと這っている。

「大黒」

福禄寿が苦々しく呟く。

「えっ、あれが……大黒様？」

この厳《いかめ》しい姿の巨人が、あの、ふくよかでいかがわしい大黒天だなど、都冬はとても信じられなかった。けれど、次の瞬間には、福禄寿が正しいのだと理解する。

「福禄寿様！　都冬様！」

巨人から甲高い声が響く。巨人の一番下の右手には小さな箱が握られていて、その中から声がした。

「都冬様！」

箱のような四角いものは、檻だった。檻の中から声を上げているのは、

「福助！」

都冬も声を上げた。福助が柵の間から、衰弱しきった顔をこちらに向けている。大黒天の所に向かったきり戻ってこなかったのは、大黒天に捕まっていたからだったの

か。

変わり果てた大黒天が、更に一歩前へ出ようと足を上げる。大黒天が踏み出すよりも早く、路上の鼠が足場を空ける為に、ざざと蠢く。

「……どうして、大黒様はこんな姿になってるんですか」

「大黒はもともとこんな姿じゃ」

「もともと、こんな……」

都冬は及び腰になり、足を後ろに引いた。足を下ろす瞬間、足元に鼠が群がっている事を思い出した。踏んでしまうかと思われたが、鼠たちは都冬の行動を予測したかのように、その足を避けて動いた。

大黒天の一番上の左手に、今の大きさからすると不似合いな、小さな小槌が握られていて、大黒天はそれを高々と振り上げた。

予想以上にゆっくりとした動きだったので、都冬は呆然とその小槌の動きを目で追う。

ふと、辺りに吹いていた風が弱まった。

「いかん！」

福禄寿は都冬の眼前に飛び出し、両手を組んだ。小槌が振り下ろされると、大黒天の前にいた鼠たちが、大きな波がうねるように次々に飛び上がる。足元の鼠が空高く舞い上がった瞬間、地面から激しい衝撃が都冬を叩いた。

都冬は、自分の肩や背中が、もの凄い勢いで後方に飛んでいってしまった様な感覚に襲われた。そして気が付けば、都冬の体は大黒天の顔と同じくらいの高さまで浮き上がっていた。浮き上がった都冬の体が、意識が、その高さが頂点である事を察する。あとは、背中から斜めに落ちるだけだ。

——受身、とらなきゃ。

——高いなあ。

——頭とか打ったら大変だ。

——大黒様の鼻の穴、大きいなあ。

都冬の頭に様々な言葉が同時に浮かび、そして、為《な》すすべも無く落ちていった。

——ああ、ぶつかる。きっと痛い。

都冬は全身を硬直させ、衝撃に備えた。背中を強打し、衝撃で首がバネのように曲がり、地面に後頭部を打ち付ける——そんなイメージが脳裏を過ぎる。

けれど、いつまで経っても地面はやって来なかった。

都冬の体は地面すれすれの所で、ぷかぷかと宙に浮いていた。手を下へ動かすと、手のひらがアスファルトの細かな小石に触れる。やがて、空から沢山の鼠がどばどばと都冬に降り注ぎ、都冬はその重さでようやく地面に落ちた。

「大丈夫か、つふゆ」

顔をおおう無数の鼠の向こうから、福禄寿の声が聞こえた。恐らく福禄寿の力で落下せずに済んだのだろう、と都冬は理解する。必死に鼠を払い退けながら「平気みたいです」と返した。

そして、やっとの事で鼠を振り払うと、福禄寿の小さな背中が見えた。その向こうには大黒天の巨躯《きょく》があり、頭の上には憤怒の表情がある。

「大黒様は、私たちの事が分からないんでしょうか」都冬は福禄寿の背中に声を掛けた。

「色々と呼びかけてみたが、どうにも我を忘れているようじゃな」

大黒天は作り物みたいに怒った顔のまま、ゆっくりと体を上下させている。

「福禄寿様！　都冬様！」檻の中の福助が再び叫んだ。

都冬はやっとの事で立ち上がり、福禄寿の真横に並ぶ。

大黒天を元に戻す方法は無いのか、と問おうとして福禄寿を見やり、そこで都冬は言葉を呑んだ。

福禄寿の衣はボロボロで、長い頭にも、細い腕にも、到る所に血が滲んでいた。おつうが胸元から首を覗かせ、ぴぃぴぃと鳴いている。

「福禄寿様、怪我を……！」

「ああ、年寄りを労《いたわ》らん不届きな奴じゃわ」

福禄寿は胸元からおつうを摘み上げると、都冬に向けて放った。

「そいつはひよどりの場所が分かるはずじゃから、お主が抱いておれ」

都冬はパタパタと飛んで来たおつうを抱きとめる。

「危ないです！」

福助の声で都冬と福禄寿は同時に大黒天を見た。大黒天は再び左腕を持ち上げている。

「つふゆ！　下がれ！」

福禄寿の声が響き、都冬はおつうを抱いたまま後ろへと駆けた。物凄く大きな団扇で背中を思い切り煽られた様に、都冬は水平に吹き飛ばされる。腕の中のおつうを守るため、都冬は必死の思いで体を捻り、右肩から地面に落ちた。アスファルトを跳ね、転がり、やっとの事で都冬の体は止まった。強烈な痛みが右肩から全身に走る。それでも都冬はすぐに体を起こし、後方を振り返った。

「福禄寿様――」

ぷかぷかと浮かんでいたはずの福禄寿は、都冬と大黒天との間で、うずくまる様にして倒れていた。

一向に動かない福禄寿の姿を見て、都冬の頭の中を猛烈な後悔が駆け巡る。今にも涙が溢れそうになるのを、都冬は必死に堪えた。

――泣いてる場合じゃない。

必死に自分を叱り、奮起させる。痛みを堪え、足に力を入れる。

けれど次の瞬間、都冬は絶望した。

やっとの思いで立ち上がり、見据えた先の大黒天は、三度、左腕を大きく振り上げていた。ゆっくりとしたその動きは、時代劇などによくある、土壇場での介錯人のようだ。振り下ろされれば、それで終わる。

都冬は急に力が入らなくなり、その場に膝からくずおれた。せめておつうだけは守ろうと、しっかりと腕を抱き、身を屈める。

そうやって、限界まで強張らせた都冬の左肩を、何かが優しく叩いた。

「大丈夫」

妙に甲高い、男の声だった。

都冬が顔を上げると、今にも小槌を振り下ろそうとしている大黒天に向かって駆けて行く男の背中が見えた。やけに丈の長い、真っ白な羽織《はおり》がはためいている。

「行け！　ニタニタ！」

都冬の肩から声が上がる。突然上がった声に驚いて、都冬は体を仰け反らせた。その拍子に、肩から白い塊が前方に飛び上がる。先ほどの声はこの白く小さな塊から発せられたもののようだ。都冬の目の前に飛び降りた白い塊は、よく見れば短い毛がフワフワと揺れていて、小さなイタチか狐のような姿をしていた。その小動物の更に向こうで、羽織の男が札のような物を、大黒天めがけて投げつけた。


「何でアタシがそんなことしなくちゃいけないのよ」

黒闇天はあからさまに嫌そうな顔をして言った。

都冬たちが大黒ふ頭へ向かう、二時間ほど前の事である。夜右衛門と話を終え、どうにかタクシーを掴まえた都冬は、料金メーターが上がっていく様子に恐々としながら、深大寺の蕎麦屋に向かった。黒闇天はこんな状況などどこ吹く風とばかりに、平然と蕎麦を啜っていた。

「実は――」

都冬が事の次第と自分の考えを説明する。黒闇天はそれを面倒くさそうに聞いていた。

「さっきまで姉さんと一緒に、色んな奴らの所をあちこち回ってたから、疲れてるのよ。まあ、アタシは途中で抜けてきちゃったんだけど」

黒闇天は大きく溜め息を吐く。いらついている黒闇天を、どう宥《なだ》めればよいものかと都冬は言い淀んだ。

「黒闇天様なら、そういう事も容易《たやす》いんじゃないかと思って」

「様はよしてくれない？　ムズムズするわ」黒闇天は細い眉を寄せる。

「今日会った奴らも、姉さんと一緒に居るから仕方なくアタシを持ち上げてきたけど、内心ではどう思っていることやらね」

どうやら、吉祥天に付いて行って嫌な事があったらしい。

「大体さあ、確かに大黒の暴走にはアンタも関わっていたかも知れないけど、それでもやっぱり七福神の所為《せい》なわけじゃない？　なんでアンタがそんな四苦八苦して東奔《とうほん》西走《せいそう》してるわけ？　人間に押し付けるなって言ってやりゃ良いのよ」

「そうかも知れませんけど……自分にやれる事があるなら、やった方が良いと思って」

都冬がもごもごと答えると、黒闇天は再び溜め息を吐いた。

「で、何を流布しろって？」

「やってくれるんですか？」

「面白けりゃね」黒闇天は気が無さそうだ。

「最近、妖怪を退治して回ってる人間がいるって、御存知ですか？　ニコニコとか、ニマニマとか言う名前の」

「ああ……何か聞いた気がするけど、妖怪なんて興味ないから」

「例えば、大黒様を妖怪だって事にして、何日の何時に大黒ふ頭に妖怪が現れる、日本で起こっているこの現象は全てその妖怪のせいだって噂を流せば、妖怪退治の人も来てくれるんじゃないかと」

「そいつに大黒を退治させようって言うのね？」

黒闇天は少し興味を持ったのか、身を乗り出した。けれど、「退治と言うか、反省させられれば」と否定すると、「あ、そ」と再び息を吐く。

「だいたい、そいつは妖怪専門なんでしょ？　大黒なんて相手に出来るかしらね」

「妖怪が神様だったこともあるんですから、神様だって――」

「妖怪みたいなものだって？」黒闇天が噴き出した。「ああ、いや」と都冬は口籠る。

「要するに、アタシにその偽情報を流して欲しいわけね。アタシなら広められると思ったわけだ」

「そうなんです！　お願いしま――」

頭を下げようとする都冬に、黒闇天は手を突き出して制すると、ゆっくりと首を振った。

「嫌よ。だってそんなの、楽しい事は何も無い……」

そこで、黒闇天は言葉を止めた。

交渉が失敗に終わった事に落胆しつつも、都冬は急に黙り込んだ黒闇天の様子を窺う。

しばらくすると、黒闇天の顔が一気に緩み、にんまりとした笑顔に変わるのだった。

「いいわ、やったげる」

「本当ですか？　あ、ありがとうございます！」

都冬は頭を下げる。黒闇天はその後もずっとにんまりと微笑んでいた。

羽織の男が投げた札は、勢い良く大黒天の顔に貼り付き、視界を遮られた大黒天はよろめいて、あらぬ方向へと腕を振り下ろした。舞い上がった風は倉庫のシャッターを叩き、自動車でも投げつけたような激しい音が響く。

それから、大黒天は二度、三度とあらぬ方向へ槌を振ると、槌や檻で塞がっていない上腕、中腕、下腕で顔をわしわしと擦《こす》り、貼り付いていた札を取り払った。

「宗拙《そうせつ》、効かないぞ！」

羽織の男が焦《あせ》ったような声を出し、こちらを振り向いた。振り向いた拍子に男が掛けていた眼鏡がずれ、男は慌てて掛け直す。

その仕草を見て、都冬は全身の痛みも忘れ、飛び上がった。

「に、仁谷《にたに》君⁉」

突然現れた羽織の男は、都冬の学生時代からの知り合いである仁谷太一だった。

「え？　榛名……さん？　なんで？」

そのやり取りに割って入るように、目の前の小さな狐が声を上げた。

「ニタニタ！　後ろ！」

仁谷のすぐ後ろに、腕を広げた大黒天が迫っていた。捕まえようとするその腕を転がるようにかわした仁谷は、そのままの勢いで都冬の元へと走り込んだ。

「どうして効かない？　あれは何て妖怪なんだ」仁谷は問いただすように狐に尋ねる。

「あんな妖怪、見た事無い」

「何でも知ってるんじゃ無かったのか」

「そう言われてもよう、あれはまるで――」

言い合いをしている仁谷と狐の後ろで、再び大黒天が左腕を振り上げた。

「仁谷君！」

都冬に促され、仁谷は後方を振り返った。

「ひとまず、逃げようぜ」

狐の言葉に仁谷は頷く。都冬の腕を取り、大黒天とは反対側へ向かおうとする。

「駄目！　福禄寿様が！」

「福禄寿？」仁谷が不思議そうに呟いた。

「あれが福禄寿だってのか」狐が驚いた声を上げる。

大黒天と都冬たちの丁度真ん中に、まだ福禄寿が倒れたままだった。このままだと、大黒天の起こす激しい風に巻き込まれてしまう。白い狐は「くそ」と言いながら、物凄い速度で福禄寿に向かって行った。

「宗拙！」

狐に向かって仁谷は叫んだ。そして、叫びながらも、都冬を道路の脇へと引っ張る。再び大黒天の腕が振り下ろされ、都冬と仁谷は通りの脇道へと吹き飛ばされた。

「宗拙！　無事か！」

地面に倒れ込んだまま、仁谷は声を上げる。

「無事だ！　小《ちっ》ちゃいジイサンも！」建物の陰から狐の声が返ってくる。「とにかく逃げろ！　態勢を立て直す！」

遠くで狐がそう叫んだ。

「行こう、榛名さん」

仁谷は立ち上がり、都冬に手を差し伸べた。都冬はその手にしがみ付き、必死に体を起こす。おつうは、都冬の腕の中でぱたぱたと震えていた。

右へ、左へと倉庫の間を通り抜け、とにかく走った。体が揺れるたびに左肩が痛む。それに気がついたのか、先を走っていた仁谷が足を緩めた。

「あそこ、シャッターが開いてる」

仁谷が指差した建物には小さな窓がいくつかあり、そのお陰でそれが三階建ての建物なのだと分かった。二階と三階の間には、四角く黒い字で鳥山《とりやま》食品と書かれている。搬入口が四つあり、搬入口の上には番号が振られていた。そして、一番と記されている右側のシャッターだけが半分ほど開かれていた。

トラックの荷台に合わせて作られているからか、搬入口は腰の位置くらいの高さがあり、登るのも大変だった。都冬は、先に上がった仁谷に引き上げられるようにして、どうにかよじ登る。

一番口から中へ入ると、仁谷が内側からシャッターを閉めようと手を掛けた。都冬もそれを手伝う。しかし、電動なのか、錆付いているのか、シャッターはピクリとも動かなかった。仕方がないので隣のシャッター裏へと移動し、二人は並んでシャッターに背中を付けて座った。倉庫の中は暗く、風の唸る音が倉庫内に反響する。その音の合間に、都冬は仁谷が呼吸を整えるのを感じた。

「榛名さん、大丈夫？」仁谷は大きく息を吸い、そして吐き出した。

「あ、うん……」

都冬は打ち付けた右肩を触ってみる。触れると痛みが走るけれど、とりあえず血は出ていないようだった。

「どうして、仁谷君が――」

「榛名さんは、なんで――」

二人は同時に口を開いた。そして同時に口をつぐむ。

「仁谷くんが、妖怪退治の人……だったんだ」

都冬は自分に確認するように呟く。「ああ、うん」と言葉が返ってきた。

――最近、妖怪界隈で、妖怪退治をしてる人間がいるって話題になってるんだよ。なんて名前だっけな――ニコニコとか、ニヤニヤとか、なんかそんな感じの奴で。

夜右衛門がそんな事を言っていた。まさか、それが仁谷の事だったとは。

黒闇天の顔が浮かんだ。黒闇天はどこまで知った上で都冬の頼みを受けたのだろう。自分の顔を、どこかで黒闇天が見ているような気がして、都冬は思わず辺りを探った。暗闇の奥には何かがいるようでもあるし、同時に何の気配も無かった。

その闇に、今度は福禄寿の顔が浮かぶ。道路に倒れ込んで、動かなかった福禄寿。福禄寿は大丈夫だろうか。グッと、歯を合わせる。

「その恰好は……？」

仁谷が着ている白い羽織は、良く見ればあちこち綻んでいて、恐らく手縫いなのだろう。少なくとも現代人が外に出る格好とは思えない。新選組のコスプレでもしているみたいだ。

「ああ、これは……宗拙が」

仁谷は自分の格好を見て苦笑いを浮かべた。

「それらしくしろって言われて……昔お芝居で使ってたやつなんだけど」

「昔から妖怪を退治して回ってるの？」

「いや、本当に最近の事で……でも、あんな妖怪は、ちょっと倒せなさそうだなあ」

仁谷がか細く呟いた。

「あ、あれは……妖怪じゃなくて、大黒様なの」

「大黒って……七福神の？」

「うん」

「まさか……いや、妖怪がいるなら、神様も——ううん」

仁谷は信じられないという様子で考え込む。それから「まいったなあ」と自嘲気味に笑った。

仁谷の困惑した表情を見て、都冬は顔を逸らし、俯いた。

「あ、あの……ご、ごめん……」

そう言ってはみたが、あまりにも小さすぎた呟きは、外を窺っている仁谷の耳には届いてはいないようだった。

自分の浅はかな考えのせいで、福禄寿はおろか、仁谷までも窮地に追いやってしまった。

顎を引き締め、こみ上げてくるものを抑え込む。これは紛れも無く、自分のせいだ。

その時再び、ずん、と音が響いた。

都冬と仁谷は硬直する。

そして、二人は同時に半開きのシャッターを見た。しかし、この角度からだと外の様子は全く見えない。

ずん、ずん。

音がゆっくりと近づいてくる。

仁谷と都冬は、ゆっくりと一番のシャッターに移動し、隙間から外を覗いた。吹き込んでくる風が顔に当たり、思わず目を細める。

大黒天の姿はまだ見えない。

「まだ、いない」

都冬は自分を落ち着けるために言ったが、その声は震えてしまっていた。

「大黒天って、想像してた姿と大分違うんだね」仁谷が呟く。

「前はもっと可愛らしかったんだけど……」

ずん、ずん。

音が大きくなる。

「大黒様が元の姿に戻れば、きっとこの風も、状況も収まると思うんです」

「なるほど」

「仁谷君、何とか出来そう？」

ずん、ずん。

「うーん」仁谷は小さく唸った。「難しそうだなあ」

「やっぱり、駄目？」

「相手が神様じゃ、どうにも」

都冬は俯いた。体が小刻みに震えていて、都冬はどう頑張っても、それを止める事が出来なかった。

「あの、ごめん……」都冬はやっとの思いで言葉を吐き出す。「ごめんなさい」

「ど、どうしたの」仁谷が慌てたように都冬の顔を覗き込んできた。

「私のせいなの。大黒様が妖怪だって、嘘を流して、仁谷君まで巻き込んじゃって」

そう言った都冬の言葉に、わずかに嗚咽が混じる。　ずん、ずん。音はだんだん大きくなる。確実に近付いている。

「私、自分にも何か出来るんじゃないかって、ちょっと、勘違いしちゃったみたいで……でも、私って、やっぱり駄目駄目人間だったらしく」

そう言って笑って見せようとしたけれど、どうしても上手く笑えなかった。

「……榛名さん？」

「もう、私なんて、本当にどこを見ても駄目な角度ばっかりで……」

こんな時に、自分は何を言っているんだろう。そんな場合ではないのに。

心のどこかで、ちゃんと理解しているにもかかわらず、都冬の口からは言い訳めいた弱音が吐き出されてしまう。

「根暗だし、だらしないし、上手く人と話せないし、嘘吐きで、無職で……」

都冬は俯いたまま、自分の欠点を挙げ連ねていく。

こんな事を言い出しても、どうにもならない。

こんな事を聞かされても、嫌な思いしかしない。

都冬は口を閉じた。そして、チラ、と仁谷を見遣る。

仁谷は眉根《まゆね》に皺を作り、首を捻っていた。

そりゃ、そうだよね――と都冬は自分の言動を悔やむ。

「僕は……」

仁谷は少し考え込むようにして、口を開いた。

「榛名さんは、とても穏やかな雰囲気を持った人だな、と思ってました」

「……え？」

「あまり細かい事には拘《こだわ》らず、色々と物事を考えながら、人と接する方なんだろうな……と。僕の勝手な想像ですが」

仁谷が話す言葉の、単語の意味を理解しようと、都冬は必死に頭を働かせる。

「嘘吐きなのは、僕も一緒です。無職という部分は、一緒では無いですが……」

「あ、いや、それはその」

「だから、榛名さんが自分を、根暗だとか、だらしないとか、そう言う風に思われていたんだという事に、少し驚いたと言うか……」

「それは……仁谷君は私の事をあまり知らないから……」

「そうかも知れませんね」

仁谷は少しだけ口の端を曲げて笑った。

「でも……捉え方次第なんじゃないかなぁ」

「物は言い様って言う風に、聞こえますけど」

「そうとも言うのかな。僕、単純思考過ぎるって、よく言われるんで」

「それは……ポジティブって事？」

「言い換えれば、そうなりますかね」

仁谷が困ったように笑う。その笑みに釣られて、都冬も笑った。

「だから、大丈夫ですよ」仁谷は都冬の肩に手を置いて、そう言った。「きっと、何か方法があります」

仁谷の手の温度を感じながら、都冬は、そうだ、と大きく息を吸った。

――きっと、まだやれる事はある。

きゅう、きゅう。

――大黒生の倉庫には、きっと、寿老人と夜右衛門がいる。そこまで行ければ……。

きゅう、きゅう。きゅう、きゅう。

「これ、何の音？」都冬の肩に置かれた仁谷の手に力が入る。

大黒天の足音じゃない、小さな音。それも、倉庫の中から聞こえる。

きゅう、きゅう。きゅう、きゅう。きゅう、きゅう。

音は一つではない。何か小さな音が沢山重なっているようだ。

都冬と仁谷は、じっと倉庫の闇へと目を凝らした。

きゅう、きゅう。きゅう、きゅう。きゅう、きゅう。きゅう、きゅう。

暗闇の向こうに、黒い影が見える。倉庫に置かれた段ボールや、棚や、工具の影だろうと思っていると、その影が風船みたいに膨らみ、弾けた。小さな塊が、無数の弾のようにこちらに向かってくる。

「鼠だ！」仁谷は叫び、立ち上がった。都冬も慌てて体を起こす。

——鼠がいるという事は、大黒天にこの場所がばれている？

二人は半開きのシャッターに潜り、外へと飛び出した。

ずん。

目の前に、仁王立ちの大黒天がいる。

「つふゆ！」

「ニタニタ！」

「都冬様！」

大黒天が手に持つ小さな檻の中に、福助と福禄寿と白い狐がまとめて入れられていた。

「宗拙、お前」

「助けてくれぇ！」

「馬鹿狐！」

大黒天が槌を振り上げた。都冬はとっさに考える。

右、左、どちらに逃げれば？

どちらに逃げても、巻き起こるあの風を避ける事なんて出来なさそうだった。

「都冬様！　こちらへ！」

福助が声を上げる。仁谷は都冬の手を取ると、大黒天の足元へ向けて走り出した。

大黒天が腕を振り下ろすよりも早く、仁谷と都冬は大黒天の股の下を潜り抜けた。

その後ろで、シャッターが悲鳴のような音を上げる。

「どこへ逃げれば……」

前を走る仁谷が息を切らせながら言った。後ろからずんずんと大黒天が追いかけてくる。

「おつう、ひよどりと寿老人様の場所、分かる？」

都冬は、片方の手で抱えているおつうに尋ねた。おつうはその言葉に反応したように、都冬の手から飛び出す。様々な角度から襲いかかる風に煽られながら、小さな鶴は懸命に翼を羽ばたかせた。

都冬は必死にその後を付いて行く。仁谷も後を追う。大黒天が迫る。

やがて、二階建ての建物の前でおつうは止まった。クリーム色に塗られた外壁に窓ガラスは無く、一階部分には大きなシャッターが下りている。

「ここなの？」

都冬が問うと、おつうはその場でぐるぐる回った。そうだ、という事だろう。

「寿老人様！」都冬は声を上げた。

しかし、反応は無い。

「榛名さん、そこに何が？」

「ここにいるはずなんです」

都冬は倉庫の門を抜け、敷地内へと走った。ずん、ずんと足音が響いてくる。

「大黒天が来る！　榛名さん！」仁谷が叫んだ。

シャッターの横には従業員用の入り口があった。都冬は躓《つまず》きそうになりながらも、そのドアへ向かう。しかし、扉は閉まっていて、いくらドアノブを回しても一向に開く気配は無かった。

「寿老人様！」再び都冬は声を上げた。鋼鉄のドアを思い切り叩く。けれど、反応は無い。

「うわ！」

背後から仁谷の声が響き、都冬は振り返る。気が付けば、都冬と仁谷の周りを沢山の鼠が取り囲んでいた。

そして、大黒天の巨体が姿を見せる。

大黒天は大きな足音を鳴らしながら、都冬たちのいる倉庫の門の前に立った。

都冬は必死にドアノブを回す。けれどガチャガチャと音が鳴るだけで、扉は開かない。

「榛名さん、逃げて！」

仁谷は自分の足元の鼠に護符を近づけた。鼠は嫌がるように仁谷から距離を取る。そうして、仁谷は大黒天の前に立ちはだかると、手に持った護符を投げつけようと振りかぶる。しかし、その腕に無数の鼠が飛び掛かり、あっという間に仁谷は体勢を崩した。

その間に、大黒天は口をすぼませ、大きく息を吸い込んだ。

「仁谷君！」

都冬は叫び、仁谷のもとへ向かおうとする。それに反応したかのように、都冬の周りにいた鼠たちが一斉に都冬めがけて飛び上がった。都冬は沢山の鼠に圧し掛かられ、その場に倒れ込んでしまう。

上半身が鼠まみれになりながらも、仁谷は渾身の力を込めて護符を投げつけた。護符が、矢のように一直線に大黒天めがけて飛んでいく。

大黒天は大きく膨らませた頬から鋭く息を吐いた。激しい突風が護符を跳ね飛ばし、仁谷と、仁谷に纏わり付いていた鼠たちを吹き飛ばす。都冬は鼠と鼠の間から、仁谷がこちらに向かって飛ばされてくる姿を見た。「仁谷君」と叫ぶ間もなく、仁谷の体は閉じられたシャッターに叩きつけられる。

「ニタニタ！」

「つふゆ！」

「都冬様！」

「仁谷君！」

多くの声が錯綜《さくそう》する。

そんな中、一際目立つ音を立てて、ゆっくりと倉庫のシャッターが上がっていく。

モーターがシャッターを持ち上げる低い音と、シャッターのつなぎ目が擦れ合う音が、そこで鳴るどの音よりもはっきりと聞こえた。都冬は鼠におおわれ、うつ伏せのまま、シャッターの奥を睨んだ。そして、だんだんと開かれていく倉庫の暗闇の中で、無数の赤いものが蠢いているのを見た。

「はいはい、今開きますからねー」

倉庫の中から、気の抜けた声。

やがて、シャッターはすべて巻き取られ、倉庫内の光景が浮かび上がった。

倉庫の中には、背の高い棚が幾つも並んでいて、段ボールの箱や空き缶が到る所に散らかっている。

そして、棚の上、箱の上、壁の横と、到る所に赤い顔をした猩々がいた。猩々たちは、棚や壁に寄り掛かり、床に寝そべりながら、ごぶごぶとビールを飲んでいる。その内の一匹の猩々は、ふらふらになりながら何度もシャッター横のスイッチを押していた。

倉庫の中央、棚と棚の間に、ちょっとでも押されたら崩れそうなくらい危ういバランスで段ボールが積み重なっている。その段ボールの山の上で、赤い顔を更に真っ赤に染め上げた寿老人と、恐らくは夜右衛門と思しき毛並みの猩々が、勢い良くビールを呷っていた。

「おっ、都冬さん！」

「つふゆ！　遅いぞ！」

二人は似たような色の顔を並べ、へろへろと笑った。ひよどりは夜右衛門の頭の上でぷるぷると震えている。

そして、むせ返るような酒の臭いが倉庫の外に溢れて来た。

「お――」

都冬の後ろから、漏れ出すような声がする。

「お前ら、何してくれてんねん！」

都冬は寝そべりながらも鼠を振り払い、その声の主を見た。

鬼の形相はどこへやら、目を丸く剥き出した大黒天は、持っていた槛と小槌をその場に落とし、どたどたと倉庫へと駆け込んだ。倉庫に近づくにつれ、風船がしぼむみたいに大黒天の体はみるみる小さくなっていく。

「なんじゃ？　大黒の顔が三つに見えるぞ」

「本当だ。手が六本もありやがる。こりゃ飲みすぎだ」

段ボールの山の上で大きな笑いが起こる。

「何してくれてんねん！　全部飲みくさりおってからに！　ワシの作戦が、パアになってもうたやないか！」

大黒天は一番上の腕で頭を抱え、その他の腕でべろべろになった猩々たちを跳ね除ける。

その隙を見て仁谷は立ち上がり、ゆっくりと大黒天の後ろに近づくと、大きく腕を振りかぶり、手にした護符をその後頭部に叩き付けた。


ふくよかな姿に戻った大黒天は、うつ伏せに倒れたまま目を回している。大黒天が倒れると同時に、そこらじゅうにいた鼠たちは四方八方へ姿を消した。檻の扉が勝手に開き、福禄寿たちが解放される。おつうは一目散にひよどりの元へと飛んで行き、夜右衛門の顔にぶつかった。その軽い衝撃でバランスを崩した段ボールの山が一気に崩れ、寿老人と夜右衛門は段ボール箱とビールの缶に埋もれて見えなくなった。

空をおおっていた雲はいつの間にか四散し、風も止み、驚くほど穏やかな冬の空が広がっている。

「上手くいったのう」

倉庫の入り口でへたり込んでいる都冬に、福禄寿がふわふわと近寄ってきた。

「福禄寿様、その、怪我は大丈夫なんですか？」

「なに、こんなもん、すぐに治るわい」

「都冬様、ありがとうございました！」と福助が飛んでくる。「この度はとんだご迷惑を」

「福助、大丈夫だった？」

「説得しようとしたのですが、力不足でした」

福助は頭を下げた。そして再び顔を上げた福助の目がくりっと輝く。

「しかし、素晴らしい作戦で御座いました！　まさか、大黒様の切り札であるビールを取り上げてしまうとは！」

いやあ、と都冬は頭を掻き、倉庫に目をやった。まさか、寿老人と猩々たちがそれを全て飲んでしまうとは思ってもみなかった。

崩れた段ボールの山から、へろへろになった夜右衛門が這い出てくる。

「酒を飲むだけの妖怪でも、役に立つんですねえ」福助は感心している。

福禄寿は「おい、寿老」と言いながら、段ボールの山へ向かった。

倉庫の到る所で、大小さまざまな猩々がぐでぐでと、横になっている。

「チャンスだぞ！」

「いや、さすがにそれはさ」

入り口の横で、仁谷と狐が何やら言い合っている。

「どうしたの？」と都冬が声を掛けると、仁谷は笑みを浮かべた。

「何でもないよ。宗拙、静かにしろ」

「何でも無ェことあるか。こんなに猩々がいるんだぞ。捕り放題だぞ！」

そのやり取りを聞いて、都冬は慌てて仁谷の下へ駆け寄った。

「悪い妖怪じゃないの。退治しないであげて」

「大丈夫。分かってるよ」仁谷は苦笑いを浮かべ、頷いた。

「なに格好つけてんだ！　あそこでまだボタンを連打してるやつなんか隙だらけだ！　せめてあいつだけでも退治しろ！」

宗拙と呼ばれた白く小さな狐は仁谷の肩に乗り、仁谷の耳を齧っている。その光景を見て都冬も笑みをもらしたが、すぐ我に返り、顔をこわばらせた。

「あの……仁谷君。巻き込んじゃってごめんなさい」

都冬は大きく頭を下げる。

「ああ、いや」と仁谷は首元を掻いた。

「謝らなきゃいけないのは、こっちも同じだから。と言うか、謝らなければならないと、思っていたんですけど……」

「え？」

「ほら、この間のカフェ」

仁谷は照れを隠すためか、首や頬をさすっている。都冬は「ああ」と乾いた反応をした。

「あんな茶番劇に付き合わせちゃって、榛名さんには悪い事をしたなって」

「茶番？」

「でも、お陰で無事に退治する事が出来て、大助かりでした」

「茶番劇って？」

「あ、ごめん。一から説明しないと分からないですよね」

都冬は大きく頷いた。

「飛縁魔っていう妖怪、知ってますか？」

ひのえんま。どこかで聞いた事があるぞ、と都冬は記憶を探る。

そうだ。確か夜右衛門が、男を惑わせる妖怪だと言っていた。

都冬が言うと、仁谷は「そう、良く知ってるね」と驚いた顔をする。

「飛縁魔が、あのカフェの女性店員に化けてたんです」

「ええっ？」唐突な話に、都冬は思わず素っ頓狂な声を上げてしまう。その音に驚いたのか、宗拙は目を丸くして、ピンと耳を立てた。

「でも、あの店員さんが妖怪だなんて信じられなくて。宗拙は絶対だって言ってたけど」

「実際にそうだっただろ」

「それは、襲われてようやく分かったんじゃないか」

「それじゃ遅いんだよ」

仁谷と宗拙が言い合いをしているその横で、都冬は必死に頭を回転させた。

「じゃあ、仁谷君は、その女性店員を退治する為に？」

「あ、うん」宗拙の頭を人差し指で押しながら、仁谷は答えた。

「ずいぶん嫉妬深い妖怪らしくて。女性といる男を見ると激しく苛立つんだそうです。そうして、そいつを横取りしてやろうと思うらしい。だから、榛名さんに協力してもらって、思い切り苛立たせた後、こっちから告白して、おびき出そう……と、そういう作戦で」

「……はあ」都冬は呆けたように頷く。「でも、どうして私なの？」

「いや……実は、女性の知り合いなんてあんまりいなくて。どうしようかと悩んでいた時に、なぜだかふっと、榛名さんの名前が浮かんだんです。何て言うか、天啓みたいな感じで。それで、榛名さんに電話を」

仁谷は申し訳無さそうに頭を下げた。

「じゃあ、告白は全部お芝居だった？」

「うん、そう。なんて言うか、阿呆らしいですよね。あの時、榛名さんには、まだ演劇をやってる、なんて言っちゃいましたけど、実際はあんなのばかりで」

「こいつがまた、大根なんだ」宗拙が茶々を入れた。

「あの後に、その、飛縁魔を退治したの？」

「そうですね。大変でした」仁谷はそう言いながら、目を細めて笑った。

凍り付いていた血液がゆっくりと溶け、全身に血が行き渡るような感覚。都冬も思わず釣られて笑う。

「でも、榛名さんが神様と知り合いって言う方が驚きですよ。その力は昔から？」

「ううん、私のは、力とかそう言うんじゃなくて――」都冬は倉庫の方へ目をやった。

「これ寿老、起きんか」

福禄寿は手にした杖で、段ボールの隙間から出ている寿老人の頭をポコンと叩いた。その衝撃で寿老人がハッと目を覚ます。

「むう……福禄か」

寿老人はもそもそと段ボールの山から抜け出した。きょろきょろと辺りを見回した後、倒れている大黒天の姿を見て、小さく息を吐く。

「よく分からんが、終わったようじゃな」

「うむ」福禄寿は大きく頷いた。

「ううん――」そこで、大黒天が低い呻き声を上げ、仰向けにひっくり返った。

「お、目を覚ますようじゃぞ」

福禄寿と寿老人が、大黒天に近寄って行く。都冬も大黒天の側へと歩み寄った。

大黒天はパッチリと目を開けると、右へ左へと目を動かし、やがて起き上がった。

周りを取り囲んでいる福禄寿、寿老人、都冬、福助、仁谷、宗拙と順番に視線を送る。

大黒天はがっくりと項垂《うなだ》れると、小さな声で「すまんかった」と呟いた。

「まあ、一件落着じゃな」福禄寿が鼻から盛大に息を吐く。

「落着じゃないです」

都冬は言った。「つふゆ？」「都冬様？」と方々から声が上がる。

「沢山の人たちが被害を受けてるんですから。大黒様には、迷惑を掛けた人たちへ、ちゃんとお詫びをしてもらいますからね」

都冬の発言に、皆が目を丸くした。

「嬢ちゃん、エグいで」大黒天が力無く笑う。そして、むっくりと立ち上がった。

「幾らなんでも、やりすぎたの」福禄寿が声を掛ける。

「……ワシな、恵比寿にだけは負けとう無かったんや。負けてもうたけどな」

大黒天の口から、大きな溜め息が漏れた。

「何もかも持っていかれてもうて、ワシはええとこ無しや……。でも、よう考えれば、もうずいぶん前から、全部負けっぱなしやったんやなあ」

大黒天はがっくりと肩を落とし、「ワシは駄目駄目や」と呟いた。

「……駄目じゃないですよ」と都冬は首を振る。「大黒様にも良い所はあります」

都冬の言葉に、大黒天は眉を下げ、辛そうな顔をした。

「情けを掛けてくれるんは、ありがたいけどな」

「情けじゃないです」

都冬はきっぱりと言った。そして、仁谷の顔色を窺う。都冬と目が合った仁谷は、戸惑ったように首を傾げる。

「内角の和って、ありますよね」

「……ああ、なんや、三角形の角度がどうこう、ちゅうやつやな。それがどうしたんや」

再び都冬は仁谷を見た。仁谷は目を丸くしたが、やがて、三日月のように目を細め、口の端を小さく曲げて笑った。

都冬は詩でも朗読するように――とはいかず、老神がキーボードで文字を入力していくように、たどたどしく話し始めた。

「あっちは、どうなっとるんじゃろうかのう」

福禄寿がぽそりと呟く。恵比寿を止めに行った毘沙門天たちの事だろう。

毘沙門天は、何か作戦があるような事を言っていたけれど、果たして上手く行ったのだろうか。

「きっと、大丈夫ですよ」と都冬は返す。

七福神のうち三人が向かったのだし、毘沙門天も弁才天も布袋も、主に名前が知られているという点で、頼り甲斐のありそうな神様たちだ――そう思ってはいるものの、都冬は勝負の結果が気になっていた。

「毘沙門天様たちと、連絡が取れたりしないんですか？」

「この辺りにあやつらの寺社でもあれば、声は掛けられるがのう」

福禄寿は記憶を探るように顎鬚を弄んでいる。

「あいつらなら、多分点心におるで」

地べたに座り込んでいる大黒天がぽそりと呟いた。

「点心？　それって、大黒様が恵比寿様に……あ、ええと」

「負けたとこじゃ」都冬が言い淀んだ語尾を、寿老人がわざわざ付け足した。

「負けたとこや」と大黒天は苦笑いを浮かべる。

「どうして分かるんじゃ？」

「福禄はん。ワシかて勝負師やで。そら、恵比寿の動向はいつでも探っとるわ。とは言うても、さっきのドタバタでよう分からんくなってしもたが……多分、さっき始まったばかりやと思うで」

「と言う事は、また麻雀勝負をしているんですかね……」

都冬は未だに麻雀が良く分かっていないが、恵比寿は賭け事がとても強いらしい事は理解出来ていた。果たして、本当に大丈夫だったのだろうか、という不安が過ぎる。

「大久保か。なら、永福寺《えいふくじ》からが近いのう。一つ、様子を見に行ってみるか」

福禄寿も同様に感じていたようだ。

「儂らは上手くやったと、あやつらに言ってやらんといかんしな」

寿老人はまだ酔いが回っているらしく、ゆっくりと頭を左右に振っている。その後方で、千鳥足の夜右衛門が酔い潰れた猩々たちの顔を叩いて回っている。

「まだ何か、問題が？」

仁谷がそっと都冬に耳打ちする。

「ええと……」

どう説明したものか、と都冬は頭を捻る。

「つふゆ。誰じゃ、この男は」

都冬が仁谷に、大黒天と恵比寿の賭け勝負の顛末《てんまつ》を説明し始めようとしたところで、福禄寿が割り込んできた。

「あ、ええと……この人は仁谷君で、学生時代の知り合い、と言うか」

「なに？」

「にたにくん、じゃと」

仁谷の名を聞いて、福禄寿と寿老人は値踏みでもする様に、まじまじと彼の顔を眺め始めた。

「ほーお、なるほどのう」

福禄寿はにやにやといやらしい顔を浮かべながら、ときおり都冬に意味ありげな視線を送ってくる。片や寿老人は、何か気に入らない事でもあるのか、ふん、と鼻から息を吐き出していた。その間で、仁谷が困ったようにはにかんでいる。

「まあ、良いじゃろ」何を納得したのか、福禄寿はそう言って仁谷の側から離れた。

「さて、儂らはこれから恵比寿のとこに行くが、大黒はどうする」

福禄寿に問われ、大黒は小さく首を振る。

「勘弁や。他の誰とも会いとうないわ」

「じゃが、お主を放って置くわけにもいかん」

「また、どこぞに逃げられても困るからのう」

寿老人がぼそりと呟くように言った。

「大丈夫です！　私が付いておりますゆえ」

擁護するように、福助が大黒天の側に付く。そんな福助を大黒天は一瞥し、それから「お目付け役もおるようやし、どこへも行けんわ」とこぼした。

「お、まだこっちに一箱残ってるぞ！」

倉庫の中から夜右衛門の声がした。かと思うと、潰れていた猩々たちがむくりと起き上がり、操られるように声の元へと近寄っていく。

「あんさんたち、それはワシのやで！　敵わんな、ホンマに」

大黒天はよっこいしょと立ち上がると、福助に付き従われながら、夜右衛門の方へ向かっていく。そして、猩々たちを掻き分けながら、倉庫の中へと入っていく。

「念の為、おつうとひよどりもここに残しておけば、ま、大丈夫じゃろ」

大黒天の後ろ姿を眺めながら、福禄寿がそう頷いた。


新大久保にある雀荘『点心』にやって来た都冬と仁谷、そして福禄寿と寿老人は、店内に広がる光景に目を見張った。

以前、大黒天と恵比寿が勝負をした場所と同じテーブルに、恵比寿、毘沙門天、弁才天、布袋の四人が座っている。麻雀勝負の最中なのだろう、積まれた牌をつかんでは置き、またつかんでは置いているが、恵比寿以外の三人の神様は、一様に疲弊した顔をしており、今にも倒れてしまいそうだった。

「負けておるのか」

寿老人が低い声で呟く。

確かに、都冬にもそう見えた。七福神のうち三人が束になっても敵わないほど、恵比寿は凄い力を持っているのだろうか。

「おや、福禄寿様に寿老人様」

入り口から見て、一番向こう側に座っている恵比寿が、小さく頭を下げた。それに釣られて、左右に座る弁才天と布袋がこちらを向く。弁才天はきつく眉を寄せ、布袋はポタポタと脂汗を流していた。

こちらに小さな背中を向けている毘沙門天だけが、姿勢を正しながら麻雀を続けている。しかし、時折見える横顔の中に、僅かに焦りの色が見て取れた。

「折角お越し頂いた所、申し訳ないのですが、もう間もなく終わります」

恵比寿はさらりと言った。

「え、もう!?」都冬は思わず声を上げてしまう。

「彼らは長期決戦を望んでいた様ですが……私としては、色々とやらねばならぬ事がありましたし、三対一の状況で、長期勝負では、いささか私に不利と感じたもので」

恵比寿はそう言って、毘沙門天の顔を見て、それから再び牌に視線を戻した。

「短ければ勝てると？」福禄寿の問いに、恵比寿は頷いた。

「運の勝負ならば、負ける事はありません」

きっぱりと言ってのけた恵比寿は、布袋の前に並んだ牌の山から一つつかむと、そのまま卓の上にパシンと置いた。同時に、恵比寿は自分の目の前に並んだ手牌を、皆に見せるように倒す。

「八千オール。これで――私の勝ちです」

それを合図にしたように、弁才天は卓の上に積まれた牌の山をガチャンと崩し、布袋は口から勢い良く息を吐き出しながら、椅子から滑り落ちた。

「なんじゃ。負けたのか、毘沙門。情けないのう」

寿老人は呆れ顔だった。毘沙門天はそんな老神をグッと睨み付けたが、

「手に負えねえ」そう言って両手を軽く開いて見せる。

「言うほど悪くは無かったですよ。毘沙門。私をテーブルに着かせただけでも、大したものです。ただ、駆け引きが甘かったですね」

「駆け引き？」都冬が言うと、恵比寿は少しだけ笑って答える。

「本来、受ける必要の無い勝負でしたから。受けるとなれば、毘沙門の策にそのまま乗るはずもありません。勝負の方法、場所、時間、その他諸々全て選ばせて頂きまし

た」

「この場所も……ですか？」

「そうです。ここは稲荷鬼王《いなりきおう》の三島《みしま》神社が近い。私が祀られた神社が側にあるのなら、当然、私に運が向く」

「でも、ここは大黒様が選んだんじゃ……」

「確かに」

恵比寿はしなやかな指でそっと自分の顎を触った。

「あの時、この店を選んだのは大黒です。彼の経王寺《きょうおうじ》も、そう遠いという訳ではないですが……」

「イカサマが出来る店だという条件以外、何も考えておらんかったんじゃろ」

「どうでしょう」寿老人の言葉に、恵比寿は小さく笑った。

「結果として、店を選んだ時点で恵比寿の有利になっておったという訳か」

福禄寿が感心したように言う。

「さて、勝負も終わりましたので、私はこれで失礼させて頂きます」

そう言いながら、恵比寿が立ち上がった。それを見て、都冬はハッと息を呑む。

「ち、ちょっと待ってください！」

自分の横を抜けて、店の外に出ようとしていた恵比寿を呼び止める。

「恵比寿様は……その、大黒様を、どうされるおつもりなんですか？」

「どうされる、とは？」

「いえ、その……潰す、と言うか、駄目にする、と言うか……」

その言葉を聞いて、恵比寿はフッと笑みを浮かべた。

「別に、どうするつもりもありませんよ。ただ――」

「ただ？」

「大黒様には、しばらく七福神の役をお休み頂いた方が良いかと。今回の件で、少々この国も乱れてしまいましたからね」

「そうしたら、大黒が抜けた穴はどうするんじゃ。お主が代わりにやるとでも？」

「そのつもりです」

恵比寿は当然である、とばかりに言った。

「お主に代わる事で、また何かと混乱するじゃろ。この国の人間にも迷惑が掛かるぞい」

福禄寿が疑問を呈すると、恵比寿はそれも承知の上であると言う様に、大きく頷く。

「数年か、十数年か、多少の混乱はあるでしょう。ですが、今後何百年先の事を考えれば、この国にとって必要な処置であると考えます」

「何百年って、気の長《なげ》え話だなァ」

仁谷の肩に乗っていた白い狐――宗拙が呆れるように言った。

「静かにしてろ」と仁谷が宗拙の口を押さえる。

都冬は心の中で、狐の言葉に同調した。今後が豊かになるとは言え、数年か十数年混乱し続けるだなんて、いくら何でも受け入れられない。妹の結婚だったり、環の家庭問題だったり、今すぐにでも解決して欲しい事柄が沢山あるのだ。

「え……恵比寿様！」

都冬は意を決し、声を掛ける。

恵比寿はわずかに首を傾け、都冬の言葉を待った。

「もう一勝負、お願いします！」

「ほう」と恵比寿。

「榛名さん？」仁谷が都冬の顔色を窺う。

「何を言っとるんじゃ」

「冗談を言うんでない」

福禄寿も寿老人も、都冬の言い出した言葉に半ば呆れ気味だった。

「冗談なんかじゃないです。私、本気です」

「……しかしのう、大黒や毘沙門たちでも勝てなかったんじゃから……」

「だからって、私が勝てないなんて、そんな事はやってみないと分からないはずです」

「その意気は良いですが」

恵比寿が静かに言った。

「まず、何故私がもう一勝負しなければならないのか、その理由を伺いましょうか」

「え、ええと……それはですね……」

「そこにいる毘沙門たちは、私を勝負の場に引きずり出すのに、大層骨を折った様です。貴女が、その場の勢いで、同じように勝負してくれと頼むのは、筋が通らない」

「その理由は……それは」

そこで都冬は一つ大きく息を吸い込み、頭の中を整理してから、ゆっくりと吐き出した。

大事な局面だから、慎重に、言葉を選ぶ必要がある。

「……これは、神様たちだけの問題じゃないからです」

「ふむ」恵比寿が頷く。

「この一連の騒動で、私たちは、とても迷惑をしているんです。上手くいっていた事が、急に駄目になったり、それで悩んだりしている人がいるんです。神様にとって、そんな人間の悩みなんてちっぽけな物だと言われたら、何も言えませんが……人間の悩みは、ちっぽけな物でしょうか」

「小さい事だ、とは、言えませんね」

恵比寿は真面目な顔で、都冬を肯定した。

都冬は心の中で安堵する。ここを否定されてしまったら、もうどうしようも無かった。

「神様たちが、色々な所で勝手に勝負をして、色々な事を決めてしまっていますが、これは私たち人間にも関わりのある事です。ですから、私たち人間にも、この一連の勝負に関わる権利があると思います」

「成る程」

恵比寿は再び頷く。

「神が勝手にあれこれを決めるな、と」

「そうです。私たち人間にも、物を言う機会があっても良いはずです」

「人間はいつでも、我々に物を言う以外の事はしないが……まあそれは良いでしょう。つまり、君が人間の代表として、私と勝負すると、そう言いたいのかな」

「私は……人間の代表にはなれません。でも、勝負します。全ての勝敗の決着は、私……私たち人間を負かしてからにして下さい」

都冬はじっと恵比寿の顔を見つめた。受けてくれるか否か、その答えを聞くまでが、都冬にとっての大勝負だった。

「お嬢さん――榛名、都冬さん。最初に私の所に来た時とは、大分違う顔をしているね」

「えっ……そ、そうでしょうか？」

まじまじと恵比寿に見つめられ、都冬は思わず自分の顔をぺちぺちと触った。

「良いでしょう。但《ただ》し、先ほども言った様に、私にはあまり時間がありません。短時間で終わる物であれば、受けて立ちましょう」

「一勝負は、一瞬で終わります。ええと……」

都冬は辺りを見回し、毘沙門天たちが座っているテーブルに視線を送った。

「麻雀牌には、一から九までの数字が書かれていますよね。だから、牌を全部伏せて、お互い一枚ずつ捲るんです。そして、より大きな数字を出したほうが勝ち、と言うのはどうでしょう?」

「つふゆ、それはいかんぞ。運勝負になる」

福禄寿が止めに入ったが、都冬は「大丈夫です」とそれを手で制する。

話を聞いていた毘沙門天は、ゆっくりと立ち上がると、卓上から数枚を選び出して並べた。

「見ての通り、一から九までの牌が九枚だ。他は全部避《よ》けてある。引き分けは無い」

毘沙門天の言葉通り、卓上に並べられた牌には、それぞれ漢字で一から九までの数字が書かれていた。そして、毘沙門天がそれらを全てひっくり返し、背にされた牌をじっくりと見渡した。

「傷は無《ね》ぇ。どれがどの牌だってのは、誰にも分からねぇ状態だ」

イカサマが入る余地の無い事を確認した毘沙門天は、そっとその場から距離を置く。

「大丈夫なんじゃろうな」

福寿寺が都冬の側で、小声で呟いた。

「なんぞ、策でもあるんじゃろ? 何があるんじゃ」

寿老人も小声で尋ねてくる。

「榛名さん、頑張って」仁谷が小さく拳を握ってみせる。

「よく分からねェけど、やったれやったれ」狐がその肩の上で煽った。

毘沙門天、弁才天、布袋の三人が、じっと都冬に視線を送っている。それぞれどのように思っているのか、都冬には分からない。

まず、恵比寿が卓の横に付いた。

それに倣うようにして、都冬は恵比寿の隣に並ぶ。

「どちらから」

「……恵比寿様から、どうぞ」

「では」

恵比寿が一枚を選択して、ひっくり返す。牌の数字は『八』と書かれていた。

「八かよ……」

後ろで狐が落胆の声を上げた。

「でも、九が残ってる」

「勝つには、一枚しか無ェって事じゃねえか」

「静かにせんか！」

福禄寿が諫めると、辺りは静寂に包まれた。物音一つしない、静かな店内。

都冬は静かに息を吸い、そして吐く。

恵比寿に勝つには、残り八枚の中から『九』を引くしかない。確率は八分の一。数字上で見ると、それほど低い確率ではない。

都冬は集中し、残された八枚の牌に手を翳した。

どれが『九』なのか。それを感じるように、目を閉じて精神を研ぎ澄ませる。

「これ！」

都冬はカッと目を開き、牌の一つを勢い良く裏返した。

パチン、と乾いた音が周囲に響き渡る。都冬は牌に記された数字を大きな声で読み上げた。

「二！」

「何やっとんじゃ！」

「負けとる場合か！」

途端、福禄寿と寿老人が喚き出した。

「おかしいなあ、勝つ流れなはずなんですけど」

都冬は首を捻った。

「何を言っとるんじゃ！」

「呆れて物も言えんわ！」

これでもかと責め立てる福禄寿と寿老人の裏で、仁谷と宗拙があんぐりと口を開けている。毘沙門天も同様に小さく口を開き、眉根を寄せていて、弁才天と布袋は苦笑していた。

「では、勝負はこれまでと言う事で」恵比寿が静かに言う。

「そうですね。私は負けました。じゃあ次は仁谷君、よろしくね」

突然名を呼ばれた仁谷は、「え？」と素っ頓狂な声を上げる。都冬は仁谷の元まで小走りで近づくと、その腕を取り、卓の側へと引き寄せた。

「どういう事ですか」

「どういう事じゃ？」

恵比寿と福禄寿が同時に質問を投げ掛ける。

「一対一の勝負なのでは」

「え？　あれ、私そんな事言いましたっけ？」

都冬は背一杯、惚ける様に言ってみせる。

「私はこう言ったんです。全ての勝敗の決着は、私たち人間を負かしてからにして下さいって」

その言葉を聞いて、恵比寿の端整な顔、その眉の間に深い皺が刻まれた。都冬の後方で、毘沙門天と弁才天が、共に小さな笑い声を上げる。

「私じゃ勝てませんでしたけど、今度は仁谷君が人間側として戦います」

「賭け事は、あんま自信無いんだけど……」

仁谷が気弱そうに言う。都冬は大きく首を振った。

「大丈夫。仁谷君が負けても、次は私の知り合いを連れてくるから」

次に連れて来るのは、環か秋菜だ。賭け事とは縁遠そうだけれど、ひょっとしたら彼女たちなら勝てるかもしれない。

「その人たちが負けちゃっても、その人の知り合いを連れて来てもらいます。そうすればいつか、恵比寿様に勝てる強運の持ち主がやってくるかも知れません」

都冬は難しい顔をしている恵比寿に、そう言ってみせた。

自分には知り合いはほとんど居ない。けれど、自分の知り合いの知り合いはたくさん居る。直接的なかかわり合いは無いけれど、彼らは人間だ。つまり、自分と一緒なのだ。

「つまり恵比寿。お前の相手は一億人以上の日本人って事だ」

毘沙門天が口の端を曲げた。

「世界中、かも知れないけどね」と弁才天。

「そりゃ、難儀だなあ」

布袋がぽこんとお腹を叩いた。

「恵比寿様は、あまり時間が無いと仰られていましたよね？　一億人と勝負するのに、どれくらい時間が掛かるか分かりませんが……全員を倒すまでは、まだ勝負中ですので、大黒天様の処遇も待って頂かないといけません」

「成る程、これは一本取られました」

恵比寿が笑った。

「……分かりました。大黒天を七福神から外すのは、一先ず先に延ばしましょう」

「おぉ、やりおった！」

福禄寿と寿老人が快哉《かいさい》を叫ぶ。

「なんだか分からねェけど、やるじゃねえか！」

宗拙がぴょこんと跳ね回る。

「あっ、それなんですけど……そうじゃないです」

都冬がそう言うと、恵比寿の眉がピクリと動く。

「そうじゃない、とは？」

「私、こう言いました。一連の騒動、全ての勝敗の決着って。それはつまり、事の発端……大黒様と恵比寿様の勝負から、という事です。ですから、大黒様が祀られていた神社やお寺を大黒様に戻す所からお願いします」

都冬の言葉で、店内は一転して静まり返った。

流石に無茶を言っているという事は、都冬も承知していた。都冬の言ったそのどれもが、言わば後出しじゃんけんの様なものであり、決められた約束事でも何でもない。

恵比寿は、こんなものは無効だ、と反故《ほご》にしてしまっても良いのだ。

だが都冬は、恵比寿がそうするとは思わなかった。現に、恵比寿は一つ、大黒天の処遇について認めたのだ。

恵比寿の長所、凄い角。それは、約束をきちんと守るところ。筋を通すところ。大黒天の長所である拘りが、大黒天の弱点に繋がったように、恵比寿のそれも弱点と成り得るのではないか……。

相手が大黒天であれば、簡単に反故にされてしまうだろうけれど、きっと、恵比寿は有耶無耶にはしない。

都冬は、自分がこれだと思う、恵比寿の長所を信じた。だから、卑怯にも思える作戦に打って出たのだ。

良い角度は、悪い角度にもなる。悪い角度も、多分、良い角度に成り得る。

全ては捉え方次第——とても単純な事だ。

しばらくの沈黙。

誰しもが、恵比寿の動向を窺っている。

どうするも、恵比寿の自由だった。

恵比寿は目を閉じ、それから再び、目を開くと、都冬の顔をジッと見つめた。

都冬もまた、恵比寿の顔を見返す。本当は目を逸らしたくて堪らなかったのだけれど、卑怯な事をしてしまった以上、ここで逃げるわけにはいかない。

やがて、恵比寿は大きく息を吐き出した。

「私の負けですね。これからどうなるにせよ、私は方々へ出向き、諸々を説明しなければならない。貴方たちとの勝負に付き合う事が出来ません」

「すると、つまり……」

福禄寿の言葉を遮り、恵比寿は言った。

「元に、戻しましょう」

その言葉と同時に、再び方々で快哉が叫ばれた。

第七章

榛名都冬と七福神

景気はすぐに落ち着きを取り戻した。落ち込んでいた反動なのか、あるいは大黒天の頑張りからか、商店街も、オフィス街も、以前より活気付いている気がする。人気の天気予報士は、連日、天気予報を当てては「どうだ」と言わんばかりの顔をお茶の間に届けていた。

景気が持ち直したことで、環の旦那も余裕が出てきたらしく、喧嘩もそれほどしなくなったらしい。

「マイ塩が毎週届くのよ？　お清めでもすれば良いのかしら」と、環は口を尖らせて文句を言っていた。

そんな環から手紙の返事を貰う度に、夜右衛門は有頂天になってアパートにやって来る。

「私の好きな色は緋色です。この色は、私を守ってくれる色なんです」

やって来る度にその部分を読み返すものだから、いい加減げんなりする。

妹は無事に結婚式を挙げられるらしい。おかげで母へのプレゼント話が復活し、都冬は妹からお金を借りた。「お姉ちゃん……」と哀れむ妹の声が、都冬の耳から離れない。

都冬は久しぶりにスーツに袖を通している。今日は二次面接だ。福禄寿や寿老人からすれば、「儂らの力で受かる」らしく、夜右衛門は「硯《すずり》の魂って妖怪の墨を使って書いた履歴書は験が良いんだ」と言い張り、福助曰く「カボチャの力は偉大」らしい。都冬からすれば、効き目があるのならばどの御利益でも良かった。

福禄寿と寿老人は、あの騒動の後、都冬の家を離れ、それぞれの寺社へと戻って行った。

だから、最近は近況報告を兼ねてお参りに行く時にしか、都冬は彼等に会うことは無くなった。

「知名度が無い分、儂らには何かある」と、二柱は豪語する。

だから、宣伝はもう、しなくても良いらしい。部屋で静かに過ごせるようになったのはありがたいのだけれど、おつうやひよどりがいなくなるのは、寂しい事だった。

今朝、久しぶりにブログを覗いてみたら、「ＢＨ３ＹＷＹ」と言う人から書き込みがあった。意味の分からない英数字の文字列は、ＩＤの変更の仕方が分からないパソコン初心者にありがちだ。お爺さんかお婆さんか、パソコン勉強中の女性か、はたまた子供だろうか。

余裕をもって家を出て、神社へ出向き事の次第を伝えると、福禄寿は嬉々とし、寿老人は訝しんだ。

「今までこっそり読んでいたけれど、更新が無くて寂しい、って書いてありました」

都冬はコメント欄に書き込まれていた文字を、ざっと要約して伝えた。

「黒闇天なんじゃないかのう」

寿老人は訝しんでいる。「つふゆ、どう思う？」

ＢＨ３ＹＷＹ。色々と文字を並び替えてみても黒闇天にはならない。そもそも言葉にすらならない文字列なのだ。

「黒闇天には、なりませんね」

「そうじゃよな？　ならんよな？」

福禄寿はよほど嬉しかったのか、空中で小躍りしている。釣られて、おつうとひよどりもぴょこぴょこと跳ねた。

「恵比寿様の、その後のご様子はいかがでしょうか」

都冬は恐る恐る尋ねた。理知的で冷静に見える恵比寿だったが、都冬の仕掛けた作戦に怒っていないとは限らない。

「さて。別段、いつもと変わらんと思うがのう」

福禄寿が顎鬚をもさりと触った。

「そうですか。それは、良かった」

ホッと、息を吐く。

ひょっとすると、恵比寿はあの時、私の考えを全て承知の上で勝負を受けてくれたのではないか。自分なりによくやったとは思うけれど、あれはやっぱり、私の浅知恵に他ならない。それと知りつつも、勝負を受けてくれる度量が、あの恵比寿にはあるのではないか――などと思ってしまうのは、私が安心したいからだろうか。

都冬はそこまで考えて、それから首を振った。

あれこれ考えても仕方ない。今度、しっかりと恵比寿様のところにもお参りに行こう。

「ところで、めかし込んでどうしたんじゃ」寿老人が都冬の姿を見て、今更言った。

「あ、今日は仕事の面接なんですよ」

「そういえば、そんな事を言っておったな。ふむ、今日か」

「まあ、それだけじゃ無いんですけどね」

都冬はにんまりと笑った。「おお、気味が悪いのう」と寿老人が嫌味を言う。

「実は、昨日、仁谷君から久しぶりに連絡があって、食事に誘われちゃったんですよ」

「なんと、逢い引きか！」福禄寿が食いついてきた。

「逢い引きですかね！」都冬も小躍りする。

そこへ、一人の女の子が神社の境内に入ってきた。七、八歳くらいだろうか、片方の手をギュッと握り締めている。

都冬は我に返り、踊りをやめて平然を装った。

女の子は一直線に拝殿に向かってくる。そして、鈴緒をしっかりとつかむと、ぎこちなく左右に揺らした。

がらんがらん、と鈍い音が境内に響く。

やがて女の子は、握り締めていた手を開き、おそらくは体温で温まった十円玉を投げ入れた。それから手を叩き、小さな声でなにやら呟き始める。

都冬はそっと、女の子に近寄り、耳打ちをした。

「住所と名前を言うと、きっと、神様が来てくれるよ」

女の子は見知らぬ大人に声を掛けられたことを不審がる様子も無く、「ほんと？」と聞き返す。

「ほんと、ほんと」

都冬は笑みを浮かべ、威厳を保とうと背筋を伸ばしている神様たちを見た。

「神様、お願いします。助けてください」

少女の声が、小さな境内に響き渡る。

それに倣うように、都冬もまた手を合わせる。

ぱん、ぱん。

二つの乾いた音が、境内にこだました。

特別短編　二夕二夕

宗旦狐
おほかたの 世捨人には 心せよ 衣はきても 狐なりけり　大綱宗彦

朧車
むかし賀茂の大路をおぼろ夜に車のきしる音しけり。
出てみれば異形のもの也。車争の遺恨にや。

皿かぞえ
皿屋敷のことは、犬うつ童だも知れゝばこゝにいはず自分はおかしいのではないか、と感じたのは幼稚園の頃だった。

○

雨の日に、幼稚園の室内からぼんやりと外を眺めていると、砂場とブランコの間で黄色い傘が踊っていた。

誰かが傘を差しているのだろうと思ったのだが、上下に揺れ動く傘の持ち主はどこにもおらず、ただ、開かれた傘が、何か楽しいことでもあったかのように、ぴょんぴょんと上下に揺れていた。

子供が使うような、黄色く小さな傘で、開かれた布はところどころ穴が開き、軸の部分がぐにゃりと折れ曲がっていた。木製の持ち手の部分はまるで足のようで、雨に濡れた土を踏みしめ、そして飛び上がっている。

それがあまりにも陽気な姿に見えたので、僕はガラガラと窓を開け、その傘の元まで駆け出し、一緒にぴょんぴょん飛び跳ねていた。

「太一くん、どうしたの？」

雨に打たれながら踊り始めた僕に、追いかけてきた保育士が笑顔でそう尋ねてきた。

「一緒に踊ってるんだ」

「……一緒？　何と？」

「傘。壊れてるけど」

それを冗談だと受け取ったようで、保育士は笑いながら僕の手をそっと掴み、促されるようにして室内へと向かう。壊れかけの傘は細い体を器用に動かしながら、ぴょんぴょんと僕と保育士の後をついて来る。

「一緒に入る？」

「……どうしたの？」

「傘、ついて来るみたい」

何の気なしにそう告げると、途端に保育士は眉をひそめ、僕の手を掴み取り、足早に室内へと駆け込んだ。傘は必死に僕らの後を付いて来ようとしていたけれど、ピシャリと閉められた扉を開けることが出来ないのか、やがて諦めてどこかへ行ってしまった。

その後も、僕は何も考えず、目に見えたものをそのまま周りの人たちに告げていた。そのたびに大人たちは不審な顔になり、僕から子供たちを遠ざけようとした。

幼稚園から連絡が行ったのか、母は青ざめた顔をしながら、仕事から帰ってきた父と台所で長話をしていた。

「太一は何かおかしなものが見えるみたい」

母は眉間に深い皺を作りながらそう言った。

自分が見たものはおかしなものなのだ、とその時初めて気が付いた。

「良いじゃないか。おかしなものが見えても」

父はのんびりとした口調で「太一はちょっとおかしいかも知れないけど、おかしくない所もあるんだから」と続けた。

「貴方はまた、適当なことばっかり！」

母は父を叱り付けた。

父の言葉は何のフォローにもなっていなかったので、母に怒られるのは当然だったのかもしれないが、後々になって、この父のひと言が僕の大切な言葉になった。

母に怒鳴られながら、父は「失敗したかな」というような顔になり、ぽりぽりと頭を掻いた。

父はよく母に怒られていた。のんびりとした性格のせいなのかもしれないが、僕はそれが父の長所だと思っていた。

「気にすること無いんだぞ太一。お前が見たのは唐傘お化けだ」

「からかさ？　お化けなの？」

「ううん……お化けと言うよりは妖怪だな」

「もうやめて頂戴！」

母は耳を塞いで悲鳴を上げた。


ある日、僕は母に連れられて、大きな病院へ向かった。検査までの待ち時間がとても長く、早く家に帰りたかったのだけれど、ずっと眉を寄せて、僕の手を握りしめている母の顔を見ると、とてもじゃないけれど、そんなことは言い出せなかった。

色々な検査を受けた後、その結果を見つめながら、医師は「もっと長期的な検査も必要ですが」と前置きをしたあと、母にこう告げた。

「幼少期に幻覚を見てしまうというのは、それほど珍しいものでも無いんです。見たところお元気そうですし、脳にもこれといった障害は見当たりません。このまま大人になっていけば、自然と幻覚を見なくなる可能性も十分に考えられますよ」

母はホッと息を吐き出し、安堵の表情で僕の顔を見た。

僕はそこで初めて、自分は良くないものを見ていたのだと知った。良くないものを見てしまうと、母を心配させてしまうのだと気が付いた。

それから母は、度々僕に「何か見える？」と尋ねてくるようになり、僕はその度に「なにも見えない」と答えるようになった。そしてなるべく笑うようにした。僕が笑えば、母も笑うからだ。

けれど、良くないものは、ずっと変わらずに見えていた。

それらは妖怪と呼ばれるものらしいと分かったのは、小学校に入ったくらいの時だ。低学年の頃などは、自分は人と違うものが見えているのだということに鼻を高くしていたのだけれど、高学年になるにつれ、これは優れているのではなく、劣っているのではないか、自分がおかしいのではないかと少しずつ感じるようになり、何かが見えても、絶対に反応しまいと心に決めた。

幼稚園での出来事を覚えている子たちが、陰で僕のことを笑っているのも知っていたけれど、それにも反応しないように努めた。

やがて小学校を卒業し、中学校、高校へと進学し、僕は順調に大人になっていった。

その頃になると、妖怪たちを街中で見かけることも少なくなっていった。

けれど、見えなくなったわけでは無い。

少ないけれど――やはり居る。

彼らは今でも居るのだ。

○

「幽霊ですか？」

思わず声を上げてしまった。

その言葉に反応して、カウンターにいる店員がジロリとこちらに視線を送ってくる。

駅前から少し離れた所にある古めかしい喫茶店は、客も少なく、こういった密談に相応しい場所に思えたのだけれど、自分から声を上げてしまっては仕方がない。

「幽霊……なのか、妖怪なのか、正確には分からないんスけど……」

青山祐樹《あおやまゆうき》は細い眉を僅かに寄せた。歳は二十六歳とのことだが、もっと若く見えるのは、羽織っている薄手のジャケットや、その内側から覗くVネックのシャツがいかにも若者と言った感じだからだろうか。

「お宅は、そういうのが専門だって聞いたんで」

秋口とは言えまだ気温は高く、喫茶店の中はクーラーが点いている。けれど、どうも風量が弱いようで、店内は若干暑かった。それにも関わらず、目の前の男——青山祐樹は涼しい顔をしている。

祐樹は最近父親を亡くしたらしく、その遺産だとかで、東京近郊に点々と土地を所有しているらしい。「相続税だとかで随分と持っていかれるんスよ」と、祐樹はやはり涼しい顔で言っていた。

そんな祐樹の土地に、最近になって『何か変なモノ』が現れるようになったので、何とかして欲しい——そう連絡があったのは、昨日のことだった。千代田区市ケ谷《ちよだくいちがや》にあるその家は、戦前からずっと青山家が住んでいたらしいが、祐樹の父の代から都内のマンション住まいとなり、祖父が亡くなったあとは、住み込みで働いていた使用人が使っていたそうだ。

「俺も、数えるほどしか行ったことが無いんスよ。古臭い家でね」

今にも鼻を摘まみそうな様子で祐樹は言った。

祐樹の父が他界し、その家をどうするか考えたところ、土地を売るか、あるいは解体してビルやマンションを建てるか——ようするに、どう損せず儲けるかの話になった。

結局、祐樹はその家を取り壊し、マンションを建てることにした。駅から多少遠いことに目を瞑れば、立地的には悪くなく、相応の収入が見込めることになるらしい。

そこで、何か出た。

祐樹はそれを「幽霊だ」と言った。

「幽霊ですか……僕の専門は、一応妖怪の方なんで、幽霊となるとどうかなあ……」

そうは言ったが、正直なところ、幽霊と妖怪の違いなんてよく分かっていない。

「何か違いがあるんスか？」

「いやあ、どうなんでしょう……どうなの？」

隣に座っている宗拙の顔を伺う。

「まァ……区別するのはなかなか難しいな。人間からしたら、妖怪も幽霊も同じようなモノなんだろうけどなァ。そもそも妖怪だって、一括りにするもんじゃ無ェんだぞ」

宗拙はサラサラの長い髪を掻き上げながら笑った。

人間の姿をしている時の宗拙は、絵画で描かれるような中性的な容姿をしているのだけれど、口の下半分をぱっくりと開ける笑い方はだらしなく、そして若干気味が悪かった。一度注意した事があったのだが、「お前のニタニタ笑いよりはマシだぞ」と返されてしまった。

「ただな、幽霊は成仏するんだよ。例外はあるけどな」

「妖怪は成仏しない？」

「しないな。妖怪もそれぞれやりたいことがあって人前に出てくるわけだけど、何かしら目標を達成しても、成仏はしない。あとな、妖怪はカラッとしてる」

「カラッと？」

「そうだ。反対に幽霊はジメッとしてる。陰気臭いし暗い」

宗拙の言い分は、多分に幽霊に対する個人的な悪意が詰まっている気がする。

「はぁ……そんなもんスか」

「そんなもんだ。だから俺から言わせて貰えば、人間と幽霊の方が同じようなモノだぜ。勝手に恨んで、勝手にいなくなる。我儘だし面倒だし……」

宗拙の説明は、次第に人間の悪口になっていく。

「なんか、凄いッスね」

祐樹がぽかんと口を開いた。

「いや、こいつは口は悪いんですけど、まあ、知識の方は、概ね当たっていることが多くてですね」

「あ、そっちじゃ無くて……本当に、お宅たちみたいな人がいるんだなって思って」

そう言って祐樹はテーブルの上に置かれた名刺を指さした。

『妖怪退治請負人　仁谷太一』

ペラペラな紙の一番上に、細い黒文字で胡散臭い文字が書かれている。

妖怪退治を標榜してから、まだ二ヵ月しか経っていないが、依頼してくる相手の誰もが僕らのことを〝怪しいやつだ〟と思うようだ。本当に怪しいのは、読んで字の如く『妖怪』であるはずなのだけれど、それに積極的に関わろうとする人間も同類らしい。

しかし、僕だって『妖怪退治請負人』なる輩が現れたら怪しむと思うので、これは致し方ない。

初めは、そんな肩書など付いていなかった。宗拙が仕入れた情報をもとに、妖怪が出ると噂の地へ赴き、勝手に退治すれば良いと考えていた。けれど、詳しい話を知るには、当事者に話を聞かねばならない。そして、彼らは誰かも分からない赤の他人にそんな話をしようとはしない。

少しでもはったりを利かせ、話をスムーズに進めるために必死で制作した名刺には、僕の本名と携帯電話の番号が書かれているが、社名も無いし、住所すら記載されていない。そもそも会社などないし、住んでいる場所を記載する勇気は無かった。

結局、どこまでいっても怪しいのだ。

そしてこの名刺は、妖怪退治に関わった人にしか渡していない。

なので、妖怪退治業は基本的に口コミだった。この青山祐樹も、以前関わったことのある人物から紹介を受けて来ている。チラシやホームページを作って大々的に宣伝しようと宗拙は言っていたが、自分の名前がばら撒かれるのは怖かったし、悪意のある妖怪を探して回るのが面倒だ、という宗拙の意思がみえみえだったので却下した。

普段は喫茶店のアルバイトがあるので、緊急の場合を除いて、依頼人との打ち合わせは喫茶店のシフトが入っていない日になっている。

「まあ……はい。一応、いますね、妖怪」

僕はもごもごと答えた。自分自身、やっていることに対して、自信も自覚も無かった。

「あんたも見たんだろ？　妖怪。いるって信じたから、連絡してきたんだろ？」

宗拙が突っかかっていく。自分がその妖怪だからなのか、存在を信じていない人に対して宗拙はやたらと強く当たる傾向がある。

「はぁ……そうなりますね」

「だったら、それで良いじゃねェかよ。何だよ、馬鹿にするために呼び出したのか？」

「おい、やめとけって」

宗拙をなだめ、話を本題に戻す。

「ええと、それじゃあ……青山さんのところに出てくるやつは、どっちなんだろう？」

ふん、と宗拙は鼻を鳴らす。

「聞いただけじゃ、なんとも言えねェなあ。はっきりと見たわけじゃ無いんだろ？」

「まあ……そうっスね」

「あれ？　ちょっと待ってください。その家は今空き家なんですよね？」

「そうっスよ」

「じゃあ、どうやって、その……何かを見たんですか？」

僕の質問に、祐樹は「ああ、説明してなかったっスね」と軽く応答する。

「工事が始まる前までは、知人に貸し出してるんですよ。ちょっとでも稼げるならそれに越したことはないですからね。パーティーかなにかを毎晩やってるみたいで」

「パーティーですか」

個人主催のパーティーなどに参加したことが無いので、具体的に何が行われているのか全く分からない。想像しても、出てくる光景はアメリカ映画などで学生たちが馬鹿騒ぎをしている様子だった。古めかしい家屋から赤や青の光があふれ出ている様は、さぞや奇妙な光景だろう。

「俺はパーティーには興味無かったんで行かなかったんスけど、二日連続で出たって言うもんだから、いったい何が出たんだろうと」

「見に行ったワケだ」

「なんかフツーの恰好をした、女の幽霊でした」

祐樹はこともなげに言う。

「あの家には結構広めの庭があって、そこに出たんです。初めは招待客が悪乗りでやってるんだと思ったんスけど、来ている客の誰でも無くて……ゆっくりとこっちに近付いてくるんス」

まるで怪談話のようだ。

「……それで、どうされたんですか?」

「逃げましたよ。皆逃げてたし。危ないことされたらたまらないですから」

「なるほど」

そんな事態に遭ったら、僕でも逃げるだろう。

「んで、それが何回も続いたもんだから、誰も寄り付かなくなっちゃって」

まるで笑い話かのように祐樹は両手を広げ、お手上げというジェスチャーをして見せた。

「普通の恰好をした……女の幽霊ですか」

考え込むふりをしてみたが、僕が何かを考えたところで、具体的な名前だったり、対処法が出てくるわけでもない。

「祓ってくれるんスよね？」

祐樹が尋ねてくる。

「まあ、祓うと言うか、懲らしめると言うか……」

僕らは確かに『妖怪退治』と銘打ってはいるものの、妖怪の存在そのものを消し去るわけではない。宗拙がどこかから手に入れてくるお札を貼り付け、鎮めるのが僕の仕事だ。宗拙曰く、これは妖怪が見える僕にしか出来ないことなのだそうだ。今でも、この狐に誑《たぶら》かされているのではないかと思う時がある。

「パーティーが開けないのは別に問題無いんスけど、工事に支障が出るとマズイんで。逆に言えば、工事が問題無く出来ればそれでオッケーなんで」

「なるほど」

「それが片付けば、すぐにでも工事に取り掛かって貰えるんで……仁谷さん、管理人とか興味ありません？」

「え？　管理人ですか？」

「管理業者に委託しても良いんスけど、費用が掛かっちゃうんでね……どうしようかなって考えてて」

「いやでも、僕に出来るかなって」

「資格とかいらないんで、一応誰にでも出来るみたいなんスけどね。まあ考えてみてくださいよ」

そう言いながら、祐樹はおもむろに財布を取りだした。茶色の皮財布はいかにも高級そうで、その中には幾ら入っているのか、想像も出来ない。

「あの、依頼料って幾らなんスか？」

「ああ、ええと……状況によって変わってくるんですが……」

実際のところ、相場なんて無かった。ちゃんとお金を貰うようになったのは、つい最近の事なのだ。金銭感覚は宗拙にも無いらしく、例えばのつもりで害虫駆除の料金を参考にしようとしたら、ものすごい剣幕で怒られてしまった。

青山祐樹は金銭的に余裕がありそうだし、多めに提示しても大丈夫だろうか――

そんなことを考えていると、

「六万二千円」

宗拙がキッパリと言った。僕の想定した上限を遥かに超えた金額だった。

「六万二千円ッスか」

祐樹が繰り返す。その表情からは、高いと思っているのか、安いと思っているのかの判断がつかない。

宗拙の提示した金額は、僕が住んでいるアパートの家賃まるまる一か月分だ。宗拙は妖怪なので、基本的に働かず、僕がアルバイトをしている時間も、近所を散歩したり、家でぐうたら過ごしている。

それだけならば問題は無いのだけれど、妖怪も腹は減るらしく、しかも宗拙は人間が食べるものを好んで食べたがった。

「タダでこの家に置いてやってるんだから、文句言わないで欲しい」と言った僕の言葉を根に持っているのだろう。ここで家賃分を稼げれば、お前が働いて得た金は俺の食費に使えるだろう——と、つまりはそう言うことだ。

結局、祐樹は提示された金額を支払うことを了承してくれた。

成功報酬なので支払いはまた後日になるが、迷いが一切無かったので、ひょっとすると安く済んだと思っているのかもしれない。

相手がもし幽霊だとしたら、果たしてお札が効くのか、触れることが出来るのか、全く分からなかった。そもそも僕は幽霊を見た事が有るのか無いのか、それすらハッキリとしていない。宗拙の語った妖怪と幽霊の違いは、実のところその場の勢いに任せた曖昧なもので、境界線がいまいちハッキリとしていないものらしいのだ。

「実際に見てみないと、なんとも言えねェなあ」

帰り道、宗拙はサラッと呟いた。

いい加減なことを——と少し苛ついてしまったけれど、思えば、出会った当初から彼はずっとこんな調子だった。

○

あれは、今から三か月ほど前の、夜のことだった。

僕は喫茶店でのアルバイトを終えて、自宅へと向かう帰り道を歩いていた。

大学在学中、そして卒業後もずっと働いている喫茶店で、業務も慣れたものだったけれど、僕はだいぶ疲れていた。その日、シフトに入っていたアルバイトの高校生が体調を崩したらしく、いつもより少ない人数であったことに加え、ラストオーダーを取る直前に団体客がどっと押し寄せ、居酒屋として使うつもりなのか、アルコールを多量に注文してきたものだから、僕を含む従業員全員がひっきりなしに動き回らねばならなかった。

嵐のように団体客が去り、いつもよりも散らかった店内を片づけ、まもなく日付が変わろうとしている時間に、ようやく帰路についた。

働き疲れて帰る夜は特に、自分はこのままで良いのか——などと考えてしまう。

業務中、携帯電話に一通のメールが届いていたことも関係していたと思う。

送り主は学生時代の役者仲間で、明日から公演が始まるので観に来てね、という内容だった。文面はとても丁寧かつフレンドリーではあったけれど、僕はその送り主と、もう五年以上会っていなかった。卒業したての頃は、僕もまだ演劇に身を窶《やつ》していたから、こうした観劇の誘いには出来るだけ応えるようにしていたし、このような内容のメールを手あたり次第に送り付けてもいた。

しかし、いざ演劇から遠ざかってしまうと、劇場に足を運ぶ機会も少なくなり、役者同志の交流も無くなっていく。

むしろ、このようなお誘いのメールが届くたびに、どうしても暗い気持ちになってしまう。

知人は頑張っているのに、自分はこのままでいいのだろうか――と。

もともと、シフトに融通が利くという理由から働き出した喫茶店だった。店長は表現活動に理解のある人で、芝居の稽古が入るとなれば、長い期間休むことになっても文句を言い出すことがなく、店は空けられないから本番は観に行けないが、頑張れと声まで掛けてくれていた。

いたのだけれど――。

週に五日間、ほとんど社員と変わらないペースで働くようになって、もう数年が過ぎている。バイトの先輩や同期だった人たちはすでにおらず、店長を除けば僕が一番長い経歴になってしまった。毎年、僅かずつ上がる給料はとても嬉しいことなのだけれど、こうして疲れて帰る夜などは、自分はこの先、どうなっていくのだろう、一体何がしたいのだろうと考えてしまうのだ。

ぽつぽつと街灯が点る道を、俯きながら歩いていた。

少し進んだ十字路の角を曲がれば、もうすぐアパートに着く。

とりあえずシャワーを浴びたい――そんな思いで歩いていると、ふと、視界の端から飛び出してくる小さな影があった。

「わっ」

思わず声を上げた。

目の前、街灯の光の中に現れたのは、一匹の小さな獣だった。

蛇のように長い胴体と、短い四本の脚。

真っ白な毛並みが、街灯の光を跳ね返している。

小さな耳はぴょこんと立っていて、くりくりとした丸い目がこちらを見つめている。

それが宗拙だったわけなのだけれど、僕は初め、オコジョかな、と思っていた。

そしてどういうわけか、そのオコジョは黒く細長い筆箱のようなケースをランドセルのように背負っていた。

「びっくりした……」

大きく息を吐き出す。

飛び出してきた獣は、オコジョかイタチかフェレットなのか判別がつかなかったけれど、閑静な住宅街とはいえ、都内で見かけることのない生き物だった。ペットとして飼育されている場合もあるようだから、どこからか逃げ出してきたのかもしれない。背中に背負っているケースの中には、彼の飼い主への連絡先などが記されているのだろうか。

そのオコジョは、一瞬だけ僕の顔を見たあと、飛び出してきた方向に視線を向けた。そして慌てたように僕の足元から後方へと走り抜けようとした。

ひょいと片足を上げ、通り道を作ってやる。

オコジョは上げられた足の下を素早く潜り抜け、闇の中へと消えていった。

それを見つめながら、僕はもう一度小さく息を吐き出し、再び歩き出した。

その時――、

「おい」

後方から声がした。

「おわっ」

びっくりして振り返ったけれど、視界に人の姿はない。

勘違いか――と再び歩き始めようとしたその時、

「おい！」

再び声がした。少し甲高い、子供のような声だった。

慌てて振り返ると、暗闇の中から顔を覗かせたのは、先ほど駆け抜けていった一匹の白いオコジョだった。

「そこのお前」

また声がする。

キョロキョロと辺りを見回してみたが、そのオコジョ以外、視界の中で動くものはいなかった。

「お前だよ、お前」

オコジョの小さな口から、確かに言葉が発せられている。

これは、まさか――。

「お前、俺のこと見えてるだろ」

オコジョはそう言った。

「見えてるよな？　だからさっき声出したし、避けたんだろ？」

やっぱりそうだ――と確信した。

目の前にいる小さな獣。これは子供のころからずっと見てきた類の存在――つまり、妖怪だ。

でなければ、オコジョが喋るはずは無い。喋る動物は妖怪なのだ。

「見えてるな⁉　見えてる！　お前は見えてる！」

オコジョはそう言ってぴょこんと跳ねた。

可愛らしい見た目に反して、随分と口調の荒いオコジョだった。

「なんとか言えよ。なんだ？　口が利けねェのか？　そんなこと無いだろ。さっき――」

オコジョはそこで言葉を切った。

身体をぐっと持ち上げ、周囲を探るように小さな耳をピクピクと動かしている。

辺りを見回してみたが、どこからか近づいて来る車のエンジン音が聞こえただけだった。

「ちょっと、胸借りるぜ」

オコジョがそう言うや否や、僕の足元まで近寄ると、ぴょんと地面を蹴り、太ももから首元まで駆け上がり、そのままシャツの中へと入っていった。

「お、おい！」

胸元でもぞもぞと動くオコジョを掴もうとするが、上へ下へ、後ろへと素早く動き回り捕まえることが出来ない。

そうこうするうちに、先ほどオコジョが飛び出してきた角から、一台の車がゆっくりと進んできた。

「静かに、動くな……！」

胸元のオコジョが声を殺して言う。

その間にもやってきた車はゆっくりと進み、その全貌が窺えるまでになった。車は後部が角ばった白色のステーションワゴンで、黒いフィルムでも貼られているのか、窓の中の様子を窺うことは出来ない。

僕は声を発さず、じっとその場に立ち止まった。

オコジョの言葉に従ったわけではない。

奇妙だと感じたからだ。

見通しの悪い十字路ではあるけれど、徐行、と呼ぶにはいささか遅すぎるスピードだった。車体は十字路の真ん中へ到達している。にもかかわらず、一向にスピードを上げないのはおかしかった。

どういうことなのか、じっと動向を窺っていると、車体が向かいの角までたどり着いたところで、ゆっくりと後部扉が持ち上がっていった。

「声を上げるなよ」

オコジョが呟く。

持ち上がった後部扉の内側に、長い紐のようなものがぎゅうぎゅうに詰まっていた。扉が開いたことで、その紐が束になって外へとはみ出していく。

まるで、人の髪の毛のようだった。

いや、事実、それは髪の毛だ。

その束の中央部に、顔がある。

巨大な人の顔だ。

眉の無い目は恨めしそうに辺りを睨んでいて、白目に比べて眼球は小さい。大きな鼻の下にある口は左右に開かれ、今にも何かを吸い込もうとしているかのようだ。

巨大な頭部が、後部座席にみっしりと詰まっていた。

その恐ろしい顔と目が合った。

真っ黒な二つの丸が、僕を射竦める。

男なのか女なのかも定かではない。

人を恨むという感情に、男女の性差などないのだ。

「うわあああっ！」

全身が総毛だつのを感じ、僕は叫び声をあげた。

「ば、馬鹿野郎！」

服の中からやや籠った声が上がる。

僕の声に反応し、巨大な頭部を乗せた車が勢いよく後退して来た。

大きな顔がみるみるうちに接近し、僕は慌てて後方へと後ずさる。

白い車は逃すまいと、追いかけるようにタイヤを回した。

巨大な顔を乗せた白い車とコンクリートの壁に挟まれそうになる寸前で、車体の右後方部分がコンクリート塀にぶつかり、大きな音を立てて揺れた。

眼前に巨大な顔。その口が更に大きく開かれる。

僕は車と壁の間に出来た僅かな隙間から抜け出し、元来た道へ必死に駆け出した。

しかし、何かが足元に絡まり、その場に倒れ込んでしまう。それより僅かに早く、胸元からオコジョが路上へ飛び出した。

「な、なんだこれ……！」

僕の脚に絡みついたのは、車から伸びる髪の毛だった。

巨大な顔の周りを漂う髪の毛が、触手のようにこちらに向けて伸ばされている。

足に絡みついた髪の毛を必死に解こうとするが、足首にきつく絡まっていて、僕の力では外せそうにもなかった。

やがて、僕の身体は、ずるずると少しずつ車体方向へ引き寄せられていく。

「ち、ちょっと……ちょっと！」

必死にもがくが、近くには掴まれそうなものは何もない。アスファルトの凹凸に擦られ背中が悲鳴を上げる。

巨大な顔が大きく口を開くと、牙のようにガタガタとした歯が覗いている。

懸命に右へ、左へと体を捻ったけれど、何の足しにもならなかった。

「これを使え！」

じわじわと引き摺られていく僕の身体の上に、白い獣がポンと乗っかる。

オコジョは器用に背中のケースを開くと、一枚の紙を引っ張り出した。

それは、飼い主の住所が書かれたカード――ではなく、不思議な文字が所狭しと描かれたお札だった。

オコジョは口にくわえたその札を、こちらに向けて何度も振る。

それが一体何なのか、考えている暇は無かった。

僕はオコジョの口から札を取った。その間にもどんどん引き寄せられ、気が付けばもう目の前に巨大な顔が迫っていた。

「叩きつけろ！」

オコジョの言葉に呼応して僕は振りかぶり、大きく開かれた口の上、その鼻筋に札を貼りつけた。

パシン！　と乾いた音が響き渡り、逆立っていたように見えた髪の毛が、力が抜けたようにへなへなと垂れ下がった。足に絡みついていた毛もすんなりと解け、僕は素早く立ち上がり、距離を取る。

気絶でもしているのか、巨大な顔は、白目を向いていた。

やがて、白い車がブルンと揺れ、ゆっくりと動き出した。同時に後部扉が静かに閉ざされていく。

垂れ下がった髪の毛が幾本か外にはみ出したまま、巨大な頭部を乗せた車はのろのろと進んでいき、向こうの闇へと姿を消した。

胸の動機が収まらず、大きく深呼吸をする。

「危ないとこだったな」

そんな僕の様子を見て、オコジョがそう呟いた。

「さっきのは……？」

「朧車だろ。知らないのか？」

「おぼろぐるまって……」

「まあ簡単に言えば、牛車の妖怪だな」

「いやだって……ステーションワゴンだったよ、あれ」

「知らねェけど、今の時代に牛車なんて無いだろ。乗り心地良いんじゃないの」

そう言ってオコジョは僕の足元に近づくと、再び肩に駆け上がった。

「そんなことで驚くなよ。お前……妖怪が見えるんだろ？」

「見えるはず……だけど、久しぶりだったし、それに、あんな今風なやつは初めてだったから……」

「時代とともに妖怪も進化してるんだよ」

格好つけるようにオコジョが言う。

牛車からステーションワゴンに変わったことを進化と呼ぶのか疑問であったけれど、言わない事にした。

「朧車が戻ってくるとやっかいだ。さっさと移動しようぜ」

「移動って……どこに？」

その疑問に、オコジョはほんの一瞬だけ上空を見上げ、それから僕の顔を見て言った。

「お前の家、近い？」


それが宗拙との出会いだった。

宗拙は僕の家に押しかけるや否や、自分の出自を語り始めた。

曰く、宗旦狐《そうたんぎつね》という妖怪がいるらしい。

江戸時代の茶人、千宗旦《せんのそうたん》に化けた狐だそうだ。

千利休の孫である千宗旦は、千家茶道の基礎を固めた人物として有名であり、宗旦狐は、そんな宗旦の点前に憧れ、宗旦に化け、弟子たちを感心させていたらしい。

千宗旦には四人の息子がいて、そのうちの三人もそれぞれ立派な茶人になっている。

そして、千宗旦に憧れ、化けた宗旦狐がいたように、宗旦の息子である千宗拙《せんのそうせつ》に付き纏っていた狐がいた。

それが目の前の獣の曾祖父であるらしい。

千宗拙亡き後も、その狐は宗拙を慕い続け、結果、狐が勝手に宗拙の名を継いだ。それから三百五十年。『宗拙』の名は狐の親から子へ、脈々と受け継がれ、目の前の獣は最近になって襲名したばかりなのだそうだ。

目の前の小動物がオコジョではなく狐だったことに、僕は少し驚いた。狐にしては随分と体が小く、細長かったからだ。

「由緒ある家柄なんだ」と宗拙は言うが、あとで僕がこっそり調べたところによると、千宗旦の長男である千宗拙は、その生涯にはっきりとしない点が多いらしく、父、宗旦とも折り合いが悪かったようだ。宗旦の四人の息子のうち、唯一、流派を興していない人物が千宗拙である。

そうなると、千宗拙の名前を継ぐこの狐もいささか怪しく思えてしまうのだが、それは言わないでおいた。

『宗拙狐』の役目は、荒ぶる妖怪を鎮めることなのだそうだ。

「いつの時代も暴れ出す妖怪はいるからな。そいつらを懲らしめるのが、宗拙狐の目的なのさ」

宗拙は再び格好をつけて言った。

「さっきの朧車に貼り付けたお札は？」

「ああ、これな」

宗拙は自分の体に取り付けたケースを見やる。

「これは、俺の曾爺《ひいじい》さんが、どこかの偉い坊主に書いて貰ったんだよ。これを貼り付けてやれば、妖怪の気持ちが収まるんだとか」

「妖怪の気持ち……？」

「種類にも依るんだけどな、妖怪ってのは基本的に〝何かしたい〟わけなんだ。音を出したい、踊りたい、木を伐りたい……色々ある。それが自分だけで処理できるものなら良いんだけど、中には人にちょっかいを出したがるヤツもいるからな。そういう欲求が、コイツを貼ればたちどころに解消されると、そういうわけだ。凄《すげ》ェ札だろ？」

宗拙は鼻を高く持ち上げながら言った。

妖怪専用のストレス発散グッズ――みたいなものだろうか。凄いような、そうでもないような、何とも言えない効果だった。

「おい、何だよその何とも言えない顔は。言っておくけどな、何の目的も持たなくなった妖怪ってのは、そりゃあ虚しいもんだぞ。人間で言うなら、そう、廃人みたいなもんだからな」

宗拙はそう付け加えた。

「ただ、一つ問題があってな。俺は狐だから、手が使えないんだよ」

そう言って宗拙は自分の手足を見つめた。

「つまり、妖怪を見付けても、上手く札を貼れないんだ。コイツは問題だろ？」

「問題……なのかな」

「問題だろうがよ。役目を果たせないんだぞ。さっきも、やっとのことで朧車を見付けたのに、札が貼れなくて逆に追い掛けられてたんだから」

確かにこの小さな体で、口に札を咥えたまま走るのは大変そうだ。

「そこで、お前だ」

宗拙は鼻先でこちらを指した。

「俺の指示に従って、お前が妖怪に札を貼る。コンビネーションだ」

「コンビネーション……？」

「つまり、相棒ってことだよ。俺とお前が組めば、どんな妖怪でも鎮めることが出来るぞ！」

「え？　嫌だよそんなの」

妖怪が見えるということ自体が嫌だったのに、その妖怪と積極的に関わるだなんて、考えられなかった。

「いやいや、嫌ってお前……」

「僕は、そういうのには向いてないし……他を当たってよ」

「他なんて居ねぇよ。妖怪が見えるやつなんて、そうそう居るもんじゃねぇんだから。それとも、誰か紹介してくれんのか？」

「いや、知り合いにはいないけど……狐だったら、人間に化けられるんじゃないの？」

そう尋ねると、宗拙は首を振った。

「変化《へんげ》は出来るけどな、何を隠そう、俺ァ走ったり飛んだり出来ないのさ」

「そんな自慢気に言われても」

「だから、お前が必要なんだって。分かるだろう？」

「幾ら言っても、僕はやらないよ」

「この人でなし！　こんなに頼み込んでるのによ！」

宗拙が声を荒らげる。

「人でなしって」

妖怪に言われても、返答に困ってしまう。

当然、僕は断わる気だったのだけど、そうはさせまいと宗拙が怒涛のように畳み掛けてきた。

「お前、折角妖怪が見えるっていう特殊な力があるのに、何もしないで平気なのか？」

「そもそもお前何やってるんだ？　あんまり幸せそうに見えないけど」

「妖怪退治って言ってもそんなに難しいことじゃないんだぜ。札を貼るだけ」

「お前何笑ってるんだよ。ニヤニヤしやがって」

「俺の親父や爺さんは、ついに相棒を見付けられずに死んだんだ」

「さぞや悔しかっただろうなァ」

「俺もそうなっちまうのかなァ」

泣き落としに入ったところで、僕の方が音を上げた。

ほんの少しだけなら、という約束付きで宗拙に協力する約束をしてしまう。

それが間違いだった、と今でも思っている。

一度でも妖怪に気を許すと、彼らはどんどん他人のテリトリーに侵入してくる。

気が付けば、僕は喫茶店でのアルバイト以外にも、仕事が増えていた。

○

青山の家は市ヶ谷駅から牛込《うしごめ》方面へ十五分ほど歩いた場所にあった。

大通りから少し外れ、入り組んだ場所にひっそりと佇む青山家は、背の高い木製の柵に囲われており、夕日を跳ね返す黒い瓦屋根は鈍重な印象を与える。松の木が植わっているのが外からでも見て取れたが、手入れがされていないからか、本来なら美しいシルエットであったであろう松は、何だかぼやけた輪郭をしていた。

「何だか、取り残されたみたいな感じだね」

「俺からすりゃ、まだ目新しいけどなァ」

豪邸と呼ぶほど広くはない敷地だけれど、決して狭いというわけでもない。ただ、周りには細長いマンションが乱立しているので、一階建ての家屋はとても肩身が狭そうだ。

さらにその家を追い込むかのように、家の周囲の至る所に紫色の幟が立てられていた。

『ビル建設絶対反対』

『我々の日光を奪うな！』

様々な文言が書かれている。

「凄い事になってますね」

率直な感想を述べると、青山祐樹は「周りもビルばっかりなんスけどね」と笑った。

「これで工事出来るものなんですか？」

「ああ、全く意味無いんで、何の問題も無いっすよ」

祐樹は事も無げに言う。そんなものなのだろうか。

「話し合いがしたいから会合に来てくれ、みたいなことも言われたんスけど、まあ無視っすね。あれ、明日だったっけな？」

祐樹に鍵を開けてもらい、家の中に入った。

幽霊が出たのはもっと遅い時間帯だけれど、家自体に問題があるかもしれないので、少し調べる時間が欲しいと言い出したのは宗拙だった。祐樹は快く了承してくれたが、この後予定があるとかで、僕らに鍵を預けると、早々に退散してしまった。

「家の中は好きにして貰って構わないんで」

毎晩パーティーが行われていたという話であったので、空き缶やらワインボトルやら、クラッカーから出る長細い紙やらが散乱しているものかと思ったのだけれど、家の中は比較的綺麗に片付いていた。電化製品はどれも二世代くらい前のものであったが、すべて使える状態であり、普請も特に問題は無さそうで、このまま取り壊されてしまうのは何だか勿体なく思えてしまう。

一通り家の中を見て回ったけれど、気になる点は見当たらなかった。

そうなると、幽霊が出たと言われる時間まで待つしかない。買ってきておいたペットボトルのお茶やお菓子を茶の間のテーブルの上に並べ、静かにそれらを口に運びながら待機する。

「幽霊は嫌だなぁ……」

僕が言うと、宗拙は「何を今さら」と鼻で笑った。

「お前、散々妖怪を見てきてるじゃねェか」

「だって、幽霊は怖いよ」

「妖怪を馬鹿にしてんのか？　妖怪だって怖い奴はいるだろうが」

「女の幽霊だよ？　掛け算で怖いよ」

「幽霊だからって特別視するな！　妖怪を差別するな！」

畳が敷かれた茶の間から、問題の庭先を眺める。祐樹が退散してすぐ、宗拙は元の白い狐の姿に戻っており、今は古臭い座布団の上で丸くなっていた。不貞寝でもしているのだろう。

青山家の庭は、一本の松の木と、ひざ丈ほどの草木が程よいバランスで配置されていて、僕は祖父の家を思い出していた。所々に石畳が敷かれ、その間は苔むしている。庭の隅には小さな石灯籠と、今どきは珍しい井戸があった。蓋がされていないようだが、ポンプも見当たらないので、もう枯れているのかも知れない。


日が暮れても、目的のモノは一向に現れる気配は無い。

そもそも毎晩同じ時間に出現するものなのか、という不安もある。

「何を目的として出てきたのかが、分からねェからな」

宗拙は再び人間の姿に化けている。確実に出てきてもらうために、先日となるべく同じような条件にしておいた方が良いだろうという考えからだったけれど、幾らなんでもパーティー参加者が二人という事は無いだろう。

人数が足りないのはどうしようもないので、騒がしさを出すために音楽を流す事にする。茶の間と庭との間を走る渡り廊下にCDデッキが置かれていたので、試しに再生ボタンを押してみると、最近流行りのポップスが流れ出した。パーティーにやって来た誰かが忘れていったのだろう、女性シンガーが愛だの恋だのについて歌っている。

日付が変わってしばらくたち、そのCDアルバムの歌詞をあらかた覚えてしまい、さすがにうんざりしはじめた時、動きがあった。

庭の木々が少しざわついたので、何だろうと辺りに目を凝らしていると、井戸の辺りの影が少し膨らんだ。見間違いかと思ったけれど、四角く縁取られた井戸の影は、餅が炙られているかのようにぽっこりと膨らんでいく。

「宗拙、あれ……」

「おいでなすったか」

やがて、その膨らみが人型まで大きくなると、井戸の影から外れ、ゆっくりとこちらに向かってきた。

女性の影だ。影が動く度に、長い髪の毛がゆらゆらと揺れているのが分かる。

「幽霊……？」

「ニタニタ、札の用意しとけ」

宗拙に促され、僕は胸元にぶら下げているホルダーから紙片を一枚取り出す。相手が妖怪ならば、蚯蚓《みみず》が這ったような筆文字が記されたこの札を貼り付けてやるだけで、大人しくなる筈だ。

影はゆっくりと、着実にこちらへ近づいて来ている。

「俺らが妖怪退治だって気づいてないな。視線を外しておけ。ギリギリまで待って、一気にやるぞ」

宗拙はゆっくりとした動作でお茶を飲み始め、僕は俯いて音楽に乗っている振りをした。

その間にも影はどんどん接近し、やがて縁側の傍までたどり着いた。俯いた視界の端に、白い着物の裾がチラリと見える。

「う……ああ……」

女が小さく呻き声を上げる。鳥肌が立った。

しかし、茶の間に上がってくる訳でもなく、女はただじっと立っているだけだ。ここからでは手を伸ばしても届きはしないけれど、勢い良く飛び掛かれば虚を突けるかも知れない。

「ニタニタ！　今だ！」

その声に応じて、僕は体を起こすと同時に札を振りかぶった。

そこで、初めて女性の顔を見る。

長い黒髪。弱々しい目。病弱そうな青白い肌——美人ではあったけれど、健康そうには見えないその顔が、僕と宗拙の動きに反応して大きく歪む。

「ギャアアアアア！！」

女は顔を歪ませながら、叫び声をあげた。

「うわああっ！」

その声に驚き、仰け反ってしまう。

腰が砕け、縁側に尻餅をついてしまった。

「何やってんだ！」

宗拙が叫ぶ。

女は身を翻すと、庭の奥へと駆け出した。

「逃がすな！」

後を追うようにして、宗拙が縁側へ飛び出す。

拳を握り、肘をL字に固定したまま慌ただしく上下に動かすその走り方に問題があるのか、宗拙はちっとも追い付く様子が無い。

しかし、それでも必死に追い掛け、宗拙は倒れ込むようにして女の腰にしがみついた。

バランスを崩すかに思えたが、女はグッと堪えると、腰を捻り、宗拙の顔面めがけて拳を振り下ろした。

鈍い音と共に、宗拙はどさりと庭先に倒れ込む。同時に、元の狐の姿に戻ってしまった。

「大丈夫か！」

僕も庭先へ駆け下り、宗拙のもとへ走った。

その間にも女は庭の奥へと走り、木製の塀をよじ登りだした。背の高い塀な筈なのだけれど、あっという間に上り切り、向こう側へと姿を消してしまう。宗拙を殴り倒した事といい、想像以上にアクティブだった。

「うぐぐ」

ごろごろとのたうち回っているが、宗拙は無事そうだ。

僕は女の後を追うために、塀の傍へ向かった。高い塀だったけれど、下部に僅かなでっぱりがあるため、そこから上ることができそうだ。

出っ張りに足を置き、塀の天辺に手を掛け、塀の外を覗く。

先ほどの女性はすでに塀を飛び降りており、物凄いスピードで町中へと消えていく白い背中だけが僅かに見えた。

ここから後を追っても、僕の足では到底追い付けないだろう。

「逃げられた……のか」

自然とため息が出てしまう。

「どうなった⁉」

ようやく起き上がった宗拙は、塀の傍まで駆け寄ってくる。

僕が首を横に振ると、「くそッ」と顔を顰める。

「お前が驚いて腰抜かしてるからだぞ！」

「いや、それは……」

その通りなので何も言えなかった。

「女にビビるなんて、情けねェ」

「それを言うなら、宗拙も殴り飛ばされてたじゃないか。走り方変だったし」

「それは……仕方ねェだろ。あの身体だと動き辛いんだから……」

宗拙はずいと口を突き出した。宗拙は人間の姿に化けてしまうと、上手く動けないらしい。彼曰く、手足の長さが関係しているようだ。狐は足しかないので、手という部位の扱いに困るのだろう。

「あれは、妖怪だったのかな……」

「霊じゃねェな。ぶん殴られたし」

「殴ってくるのは霊じゃない？」

「霊は殴らない」

頬を触りながら、自信ありげに宗拙が言う。

「どうしようか。失敗しましたって、報告するべきかな……？」

正式に依頼された以上、その義務はあるだろう。達成出来なかった時の規約などは設けていなかったけれど、お金だけを頂戴するわけにはいかない。今後も依頼が増えていくようならば、しっかりと規定すべきかもしれない。

「いや――」

宗拙は首を振った。

「まだ良いだろ。失敗した訳じゃねェし」

「でも、現に逃げられちゃったじゃないか」

「あいつに抱き着いた時、匂いがした。独特な匂いだから、近付けば分かる。ちょっとこの辺りを探索してみよう」

宗拙はそう言ったが、その顔には家賃が惜しいと書いてあった。

玄関先に会った懐中電灯を片手に、もう一度例の女が現れた井戸近辺を探ってみる。今はもう使われていない古井戸のようで、奥底に湧いていたであろう水もすでに枯れており、一見しただけでは、これといった手掛かりは見つからなかった。

「ここはかなり匂うな」

宗拙はくんくんと鼻を動かしながら言った。その匂いは、青山家の塀を上った先にも僅かに続いているようで、女の残り香であると宗拙は断定した。

「どんな匂いなんだ？」

そう尋ねてみたが、宗拙も首をひねるばかりで、良く分からないとの答えが返ってくる。

「どっかで嗅いだことが有るんだがなァ……どこだったかな」

他に調べる場所もないし、これといった手掛かりもない。宗拙の鼻だけが頼りだった。

塀の外まで続く匂いを辿りながら、町中を歩いていく。

匂いは市ヶ谷駅の方へ続いているようで、それは、確かに女性が逃げて行った方角と一致していた。地面を嗅ぎまわりながら進んでいく宗拙はまるで犬のようだったが、怒り出しそうなので言わないことにする。

市ヶ谷駅付近に、ほとんど人影は無い。皇居外堀を越える片側二車線の靖国通りには、終電を逃したであろうサラリーマンを乗せたタクシーが、時折通り過ぎるだけだった。

そして、匂いもそこで途絶えてしまっているようだ。

「向こうに渡ったのは間違いねェと思うんだが……」

宗拙はあくびをした。つられて僕もあくびが出る。

「もう良い時間だなァ……。日が昇るまでまって、それからもう一度調べてみるか」

携帯電話を覗くと、午前二時になろうとしていた。

「あの家に戻ろうぜ。今夜は泊まりだ」

確かに、この時間ではもう自宅に帰ることは出来ない。ある程度覚悟はしていたけれど、何かが出る家に泊まるのはとても嫌だった。

そう宗拙に告げると、彼は「気にするなよ。すでに俺が出てンだから」と、何の足しにもならないことを言った。

○

「対象は昨晩現れはしたが、すんでの所で逃げ出した。手掛かりは掴めている。もう一日調査して報告する」

青山祐樹にはそう伝えた。

多少、ポジティブな表現を用いはしたけれど、嘘ではない。

嘘をつくのは得意だった。どんな妖怪が見えていようとも、見えていない振りをして生きていたし、長らく演劇をやっていたことも幸いしているのだろう。

青山も一日で終わるとは思っていなかったようで、快く了承してくれた。

そのまま青山家に一泊し、翌日になって再び捜査を開始した。

昨夜に引き続き、皇居外堀に作られた、緑色に濁った釣り堀を横目に、宗拙が示した方向へと向かう。今は昼時だからだろうか、本屋やラーメン屋などが立ち並ぶ通りには、スーツ姿のサラリーマンやOLの姿が多く見られた。僕はきちんと就職をしたことが無いので、彼らのようにスーツを着て街を歩いた経験が殆ど無い。自分と同い年か、あるいはそれよりも若そうな男性が、颯爽とスーツを着こなし、同僚や上司と談笑しながら闊歩している姿を見ると、どうしても自分と比較して落ち込んでしまう。

なるべく、それらを景色として認識するように努めて歩いた。

宗拙は人間の姿に化けており、くんくんと鼻を動かしながら歩いている。あまりみっともないので、出来れば狐の姿になって欲しいのだけれど、もし昨晩の妖怪に出会ってしまったら、こちらの存在を悟られてしまうので、人間のままでいるらしい。人間の姿ならば、いくら相手が妖怪といえど、中身が宗拙であるとまでは分からないとのことだった。

宗拙は、姿を消す能力と、人の姿に化けることができる二つの能力がある。妖怪の特性は様々で、他にも物体を通り抜けられる存在や、離れた物を意のままに動かすことが出来る存在もいたりと、一括りに纏めるのが難しいようだ。ただ、姿を消す、何かに化けるという技は高等な妖怪しか出来ないのだそうで、だから宗拙の一族はエリートなのだと豪語していた。

そして僕はその、〝姿を消している状態〟が見えてしまう。父も母も祖父も祖母も、特にそういう能力があったわけではないようなので、理由は未だに分からないし、もしもこんな力が無かったら、自分はもっと違った生活を送れていたのかもしれない——と度々考えてしまう。

いかん。駄目だ駄目だ。

僕は頭を振って、嫌な思考を外へ弾き飛ばそうとした。

頭の中で様々な多角形を想像する。適当に点を打ち、その点を線で繋いでいく。それが三つならば、どれも百八十度。五つならばどれも五百四十度。どんな形をしていても、角の数が同じならば角度の和も同じになるというのは不思議なものだ。

小学生のころ、算数の授業で学んだ時は、衝撃的だった。教師が黒板に様々な形の歪んだ多角形を書き記し、そのどれもが同じ角度なんだと言った時には、ほとんど信じられなかった。あんなおかしな形をしたものが、他と同じだなんて――と。

『太一はちょっとおかしいかも知れないけど、おかしくない所もあるんだから』

僕は父の言葉を思い出した。

父が何を考えてこの言葉を言ったのか分からない。

けれど、彼が言わんとしたことは、こういうことだったのではないだろうか。

僕には確かにおかしな所がある。けれど、おかしくない所もあるし、ひょっとしたら、他人より秀でている所もまた、あるのではないだろうか。人間という存在を一つの多角形だと捉えれば、おかしな角度――人より劣った部分を補填するように、人とは違う、優れた角度もまた存在するはずなのだ。

僕は視力も悪く、運動神経も悪い。頭もさほど良いとは言えない。

けれど、まだ僕自身も気付けていない別の何かが、僕にはあるんじゃないだろうか
――そう思うようになった。

それからと言うもの、気持ちが沈んでしまった時、僕は多角形を幾つも思い浮かべ

た。そうすると大分気持ちが落ち着いた。

そんな子供の頃からの癖が、今でも続いている。成長すればするほど、人よりも劣った角ばかりが目立ってくるのだけれど、それでも思い浮かべてしまう。

「ん？　今……」

宗拙が立ち止まり、振り返った。

「どうしたの？」

「匂いがした。あの匂いだ」

「本当に？」

宗拙の視線の先を辿っていくと、一人の女性の姿があった。薄手の黒いカーディガンを羽織ったその女性は、すぐに人ごみの中に紛れてしまい、顔までは分からなかったけれど、ごく普通の若い女性の姿に見えた。

「あの女の人？」

「……おそらくな」

「他の人にも見えてるのかな」

「さあな……ただ、あんな恰好してるってことは、見えてるんだろ」

僕は姿を消している妖怪が見える。けれど、見えてしまうからこそ、妖怪が姿を消している状態なのか、それとも誰にでも見えている状態なのかが分からなかった。妖怪が妖怪らしい恰好をしてくれていれば問題ないのだけれど、今回のような人間と変わらない姿だと、他との区別がつかないのだ。

「何で普通の恰好をしてるんだろう。昨日は和服だったのに」

「化けられないか、姿を消せないかのどちらかだな」

宗拙は勝ち誇ったように鼻で笑った。

「ああいう風に、社会に溶け込もうとしてる奴らはタチが悪いんだ」

「……どういうこと？」

「いいか。何で時代に合わせて姿形を変える妖怪がいるのかって言うと、それは警戒されずに人間に近付き易くなるからだ。いつだったか、朧車に出会っただろ？　あいつもその類だな。現代風の装いをして人間に近付き、何かしら悪さをしようとしているわけだな。しかも女の妖怪ってのは、厄介なヤツが多いんだよ。恨み、辛み、妬《ねた》み、嫉《そね》み——負の感情が渦巻いてるからな」

宗拙は苦いものを吐き出すような顔で言った。

「それ、幽霊の説明でも似たようなこと言ってたし、宗拙だって人間に化けるじゃないか」

そう言うと、宗拙は二、三度まばたきをしたあと、犬みたいに小さく唸り声をあげた。

「いいから、後を追うぞ。あいつが何の妖怪なのか確かめねェとな」

宗拙は少し歩を速め、僕は慌てて追いかける。

小走りで人波を避けながら進んでいくと、ほどなくして先ほどの女性に追いついた。その女性は、僕らに追いかけられていることには気付かないようで、歩調は変わらずゆっくりとしたペースだったが、ある建物の前で立ち止まると、手元の何かを確認し、やがて建物の中へと入っていく。

「ここは何だ？」

女性が姿を消したのを確認してから、僕らもその建物の前に立った。

十階建てで、前方をガラス張りの壁で覆っている大きなビルだった。恐らくどこかの芸術家がデザインしたのであろう、入口の左右には巨大な石柱が置かれている。

「これは、区民センターかな」

「何をする所なんだ？」

宗拙は首を伸ばし、建物の中を窺っている。

「例えば、会議室を借りたりだとか……図書館なんかがある場合もあるかなぁ」

こういった区や市で管理されている建物は、その土地の者ならば安価にスペースを借りられるので、演劇の稽古にもよく使っていたものだ。

区民センターの中は壁も床も真っ白で、職員らしきスーツ姿の男性が受付で座っている。先ほど追いかけていた女性は、受付横の掲示板を覗いたあと、エレベーターの乗り場へ向かい、扉の中へ姿を消した。

「どっか行ったな。中に入ろうぜ」

宗拙に促され、僕らは建物の中へ足を踏み入れる。

エレベーターの前まで駆け寄り、回数表示に目をやると、三階でランプが止まった。掲示板を見てみると、この時間から借りられている会議室は一室だけだった。

「全国菊の会……？」

掲示板にはそう記されている。どんな活動をしている団体なのか、文字だけではサッパリ分からなかった。

「生け花とかなのかな……？」

「行ってみりゃ分かるだろ」

宗拙はエレベーター前へと向かっていく。

「え？　乗り込む気？」

僕が怯んだ態度を見せると、宗拙は再び掲示板のそばまで戻って来た。

「良いか？　あの妖怪は何か人間の集まりに参加しようとしてるわけだろ？　その結果がどうなるのか、明らか過ぎるじゃねェか」

そして、宗拙はエレベーターの入り口を指さす。

「俺たちが行きゃ、助けられるかもしれない」

そう言われて、引き返せるはずもなかった。


意を決し、エレベーターを呼び出し、目的地の三階へと向かう。

階下と同様、白を基調とした廊下は清潔感があった。廊下の壁には近隣で開催されている催し物のポスターが貼られていて、自分の知らない団体がこの地域で様々な活動しているのだな、と感心してしまう。

廊下の突き当たりに目的の部屋はあった。ドアの横のプレートには水性マジックで『菊の会』と書かれている。小さめの会議室のようだが、前後にドアがあり、そのどちらも閉ざされていたので中の様子は分からなかった。

「間違いない。この中にいるぜ」

宗拙はドアの隙間からくんくんと匂いを嗅ぐ。

「この匂い……」

「とりあえず、いったん離れる？」

こうしている間にも、誰かがここへやって来るかも知れない。どうやって中にいる妖怪と思しき存在と対峙するか、作戦を考える必要があるだろう。

「あ、分かった。これ、墓場の匂いだ」

「墓場？　墓にいる妖怪ってこと？」

不穏な単語が飛び出し、ギョッとしてしまう。お墓の匂いと言われても、想像できるのは線香の香りだった。

「菊の会……菊……？」

宗拙がスッと顔を持ち上げる。

「お菊だ。あの女の正体」

「お菊？　お菊って……四谷怪談の？」

確かに、市ヶ谷駅の隣は四ツ谷《よつや》だ。距離的にも近い。

「そりゃお岩だ。知らないか？　皿屋敷」

「ああ、番町皿屋敷。井戸から出てきて、一枚二枚って言う……」

確かに、あの女は井戸のあたりから出現したように思える。中から出てきたのだろうか。

「お菊って妖怪なの？　幽霊っぽいけど……」

青山祐樹に説明していた宗拙の言葉を借りるなら、お菊は自分を責めた特定の人物を恨んでいるのだから、幽霊の要素が強いのではないだろうか。

「皿屋敷、どんな話だか知ってるか？」

「まあ、一応は……」

有名な話なので、さわり程度は覚えていた。

奉公に出ていたお菊を妬んだ女中が、彼女を陥れるため、主人が大切にしている十枚の皿のうちの一枚を隠してしまい、お菊は無実の罪で責め立てられ、自ら身を投げてしまう。それから、井戸の中から皿を数える声と共に、女の姿が浮かび上がる――という内容であったと思う。

「まあ、大体あってるな。他にも色んなパターンがあるけど」

宗拙は再び頬を触った。まだ痛むのだろうか。

「他にも？」

「皿屋敷で有名なのは番町だけじゃないぞ。色んな所でお菊は出てる。だから幽霊じゃないんだ。お菊は『皿かぞえ』って呼ばれる妖怪なんだよ」

「皿かぞえ……」

「まァ、実際俺も会ったことは無ェんだけどな。井戸から出てきてぶつぶつ恨み言を言う妖怪なんだって聞いてるだけで」

「恨み言どころか、殴りつけてきたけどね」

今回の相手は、お菊だったという事になるのか。その事前情報があれば、もっと上手く立ち回れていたのかもしれない。

「でも、お菊さんなら、そんなに危ない目には遭わないかな」

「馬鹿言ってんじゃねェ。皿屋敷の結末を知らねェのか？　あいつに難癖をつけた野郎どもは、精神がやられちまったり、次々に不幸が起こったり、そりゃあ悲惨なことになってんだぞ」

宗拙は脅すように言い、僕は唾を飲み込んだ。

「じゃあ、この中にいるってこと……？　その、お菊さんが」

改めて会議室のドアを見る。ドア横のプレートが目に入った。

「菊の会って何だろう……？」

「さァな。ひょっとすると、お菊が人間たちを集めて何かしようとしているのかも知れねェ」

宗拙もドアを見た。

もし妖怪が率先して人間を集めているのだとしたら、その目的とは一体何なのか。人間にとって良からぬことである可能性は極めて高いだろう。

「よし、行くぞ」

宗拙は何の躊躇いもなくドアノブに手を掛ける。

「え？　ちょっと……中、入るの？」

「当たり前だろ。何が行われているか分からねェんだから。夕べのやつを見付けたら、速攻で札を貼り付けてやれ」

そう言うと、宗拙は勢い良く会議室のドアを開けた。僕は慌てて胸にぶら下げたケースからお札を一枚取り出す。

会議室には、ロの字に長机が置かれていて、一つの机に対して三つの椅子が用意されている。奥の壁にはホワイトボードが掛かっており、蛍光灯の白い明りが部屋の隅々までまんべんなく照らしていた。

そして、室内には爽やかだけれど、どこか苦みのある匂いがした。確かに、お墓の傍で嗅いだことがあるかも知れない。

すでにこの会の参加者は全て出席しているようで、空席は一つも無い。そして、そこにいる全員が女性であった。

「ええと、あの……」

突然闖入《ちんにゅう》してきた僕らを見て、ホワイトボードの前に座っていたスーツ姿の女性が困ったように声を上げる。

「部屋をお間違えじゃないですか？」

見たところ二十代くらいだろうか。白い肌が印象的な、とても綺麗な顔立ちをしている。しかし、議長席と思しき椅子にこそ座っているものの、どこかおどおどとしていて、少し頼りなさそうだ。

「あ、すみません。ちょっとその……」

何と言って誤魔化せば良いのか、案が全く浮かばなかった。

その間にも、宗拙はじろじろと室内を見渡している。私服やスーツ姿と恰好は様々だったけれど、どの女性も若そうに見えた。

「あっ！　昨日の！」

その時、一人の女性が立ち上がった。黒いカーディガンを羽織った彼女は、目を丸くしたままこちらを指さしている。

「昨日の女だ！」

宗拙もまた、彼女を指さした。その女性は確かに、昨晩現れた妖怪とよく似ている。

「ニタニタ、札！」

そう促され、僕は札を彼女に向ける。このままどうにかして身体のどこかに貼り付けてやれば、彼女は途端に精気を失うはずだ。

そうして、札を片手に近付こうとしたその瞬間、椅子が床をこする音と共に、室内にいた女性全員が立ち上がった。

「え？」

皆の視線が僕と宗拙に集まる。室内は急に静かになり、緊張感が一気に高まったのを感じた。

「碓井《うすい》さん。ひょっとして……こちらの方たちは」

スーツ姿の女性が静かに尋ねた。

「そうです。昨日来た二人です」

碓井と呼ばれた、夕べ現れたであろう女性が答える。

「そうですか」

どういうわけか、スーツの女性は僕らを見て笑みを浮かべた。そして、ゆっくりとこちらへ近づいてくる。

周囲の女性たちも、その動きに倣うように、僕らを取り囲み始めた。

「ま、まさか……」

宗拙は愕然としながら室内を見渡す。

「全員、お菊なのか？」

「えっ？」

思わず声を上げてしまう。

ここにいる全員が、妖怪のお菊？

にわかには信じられなかった。

「だって、お菊さんって一人なんじゃ……」

「俺もそう思ってたけど、よくよく考えりゃァ、各地で言い伝えがあるんだ。複数居てもおかしくは無ェ」

宗拙はグッと歯噛みした。

部屋の入口に立っている僕らは、すっかり取り囲まれてしまっている。

白い顔をした女性たちが、じっと僕らを見つめている。

確かに、皆どこか似ている印象があった。色白で、黒髪で、整った和風な顔立ちではあるけれど、幸が薄そうな、暗い雰囲気を持っていた。

二対一のつもりが、二対十二になってしまっている。とてもじゃないが勝機は見出せない。

幸い、背後には扉がある。ここは一旦逃げ出すべきだろうか――。

「あ、あの……」

スーツの女性がおずおずと口を開いた。

「工事の関係者の方……ですよね？」

「あ、いや……まあ」

「やった！」

スーツ姿の彼女は胸の前で小さくこぶしを握りながら、ちょこんと飛び跳ねる。「やりましたね！」と周囲の女性たちが彼女に声を掛けた。

何故喜んでいるのか、何が起こっているのか分からず、僕はただただ茫然と事態を見守っていた。

「この度は、わざわざ話し合いの場にお越し下さいまして、本当にありがとうございます！」

「話し合い……？」

「あっ、すみません。とりあえず座りましょう。椅子、二つ出して貰って良いですか？」

スーツの女性がそう言うと、周りの女性たちはそれぞれ頷き、いそいそと自席へと戻っていく。

「あの、昨晩は申し訳ありませんでした！」

碓井はいそいそとこちらに近寄ってくると、深々と頭を下げた。

「工事の方だとはつゆ知らず、失礼なことを……」

「ああ、いえ、その……大丈夫です」

碓井は「すみません、すみません」と何度も言いながら、自席へと戻っていく。

「どうなってるのかな」

「……分からねェ。俺らが迎え入れられるとは思ってなかった」

入口側の席を二つ空けてもらい、僕らはそこに腰を下ろした。一つの机に三席が限界な為、その分はみ出してしまった女性たちはスーツの女性の後ろに椅子を出した。さほど広くは無い会議室に、十二人の妖怪と思しき女性と僕らが座っている。とてもおかしな光景だった。

「申し遅れました。私、全国菊の会会長を務めさせて頂いております、番町《ばんちょう》と申します」

番町と名乗ったスーツの女性は、立ち上がると深々と頭を下げた。

「番町って、あの……皿屋敷の？」

僕が答えると、おお、と室内からどよめきの声があがった。

「はい、そうです。番町皿屋敷の番町です。良かった、そこまでご存じなんですね！話が速くなって助かります！」

「アンタら、お菊……なのか？」

宗拙の問いに、スーツの女性は大きく首を縦に振る。

「そうです。ただ、番町は私だけで、他の方たちは別の名を付けています。播州《ばんしゅう》だったり、雲州《うんしゅう》だったり……」

「なるほど、土地の名前を付けてるってわけか」

「はい、その方が皆も分かり易いので」

「納得したぜ」

宗拙は得心がいったようだが、僕はそれどころではなかった。

つまり、この部屋にいる人間は僕だけで、あとは全員妖怪なのだ。

僕の背中を冷たいものが流れていく。

で《●》しょうか……？」


「ええと、それで……」

番町は少し俯き加減で、たどたどしく話し始める。

「こうして来て頂いたということは、前向きな話し合いという風に考えても、大丈夫でしょうか……？」

「え？　ああ……」

宗拙に目をやると、彼は小さく頷いた。合わせろ、ということなのだろう。

「そ、そうですね。出来れば前向きにお話をさせて頂ければと考えています」

ありがとうございます、と番町はまた頭を下げた。

「……何からお話すれば良いものか、ええと……」

進行に慣れていないのか、番町は焦ったように手元の資料を捲っている。

静寂の中で紙が擦れる音がやけに響き、いたたまれない気分になる。

「アンタら、こんなに集まって何やってんだ？」

「あ、はい。そうですね。それに関しては、こちらの資料をご覧頂ければと」

番町が二枚のプリントを隣の女性に手渡し、彼女がこちらへ持ってきてくれた。

プリントには『全国菊の会 概要について』と、可愛らしい丸文字で書かれている。

学生劇団の創立時のチラシなどによく使われていたフォントで、パソコン初心者が張り切って資料を作成した時にやってしまいがちなポップな書体に、僕は思わず笑ってしまった。

「私たち全国菊の会は、全員がお菊――皿かぞえで構成されています。といっても、遠方にいらっしゃる方も多いので、こうして集まるのは、関東近郊にいらっしゃるお菊さんたちですが」

番町は面々を見渡した。女性たちは一様に頷く。

「私たちの活動内容は、環境保護……もう少し噛み砕きますと、井戸を守ることが一番の目標でありまして、その他に、お菊――皿かぞえの立場の向上などが挙げられます」

「井戸を守る……？」

「そう、井戸です。私たちにとって、井戸は大切な場所なんです。井戸があって、井戸を所有される方がいて、その方たちと交流することが、私たちのとても大切な時間となっています」

「はぁ……。その、交流と言うのは、つまり……」

「そこに住んでいる奴らを呪い殺すとか、そういうことかい？」

宗拙がアッサリと切り込んだ。

その質問を聞いて、番町は申し訳なさそうに眉を寄せ、頷く。

「そうですね。昔はそういうこともありました。江戸の終わりとかそれぐらいは、井戸が沢山あって、横暴な主人たちが大勢いて、私たちもイケイケだったものですが」

「イケイケ……」

「時代の変化と共に私たちも変わりまして、今はもう、お話を聞いて頂くだけで十分でして」

番町の言葉に、お菊たちは大きく首肯した。

「それは、人を驚かせたいとか、そういうことではなく?」

妖怪の生態について、そこまで詳しくは無いのだけれど、彼らは皆、変なことに心血を注いでいたりする。人を驚かせたいというのが最たるもので、そうすることで妖怪は幸せを感じるものらしい。良く分からないと宗拙に尋ねたら、「飲んだり食ったりすると幸せだろ? それと同じようなもんだ」と解答があった。

「驚かせたいとは、ちょっと違いますね。簡単に言えば、思い切り泣かせて頂くと言いますか」

「泣くんですか」

「そうすると、翌日からの活力になると言いますか……」

けれど。

番町はなんだかOLみたいなことを言っている。あくまで僕のイメージでしかない
「先日から碓井がお邪魔していた井戸は、私たちにとってとても大切な場所なんです。場所柄も勿論ですが、あのお家にはお手伝いさんがいらっしゃって、私たちは大変良くして頂いていたものですから」

「良くして頂いたって……そのお手伝いさんは、皆さんの正体を知っていたということですか？」

「はい。それでも来て良いと、そう仰って下さって」

妖怪と分かってなお、家に招く人がいるだなんて、少し信じられない話だ。

「じゃあ、青山家に恨みがあるとかでは無いんですか？」

「恨むだなんて。ただ、工事を中止して頂いて、井戸が残ればそれで満足なんです」

番町は目を伏せた。

青山家に住み込みのお手伝いさんがいた、という話は祐樹からも聞いていたので、この場を誤魔化すための嘘をついているわけでは無さそうだ。

「それで、毎晩あの家に現れては、家で騒いでいた奴らを脅かしてたってわけか」

「そうすれば、工事も取りやめになるかと思いまして……」

確かに、それが原因で祐樹は僕らに依頼をしてきたわけだから、一定の効果はあったわけだ。ただし、変なものが出るので工事は中止、という流れには今のところなってはいない。

「それだけじゃありません。他にも色々やりました！　建設反対の幟を立てたり、署名を集めてみたり！」

碓井が立ち上がり、声を上げる。

「え？　あれ、貴方たちがやったんですか？」

「はい。頑張りました」

番町はにっこりと頷く。

まさか、妖怪がマンション建設の反対運動を起こしているとは考えてもみなかった。すると、祐樹のもとに直談判の書状を送ったのも彼女たちということになるので、今こうして僕らが迎え入れられていることも納得はいく。納得はいくけれど、努力する方向がどこかズレている気がしてならない。

「幟を作るのも結構な費用が掛かりましたので……私は喫茶店で働いておりますし、そちらの碓井さんは会社勤めをして頂いています。他にも、電話代行ですとか、お食事をお出ししたりだとか……有名化粧品店で販売員をされている方もいるんですよ！」

番町は自慢げに紹介した。

「働いているんですか、人間社会で？」

「勿論です。私たち、働くのは苦ではありませんので」

お菊という性質がそうさせるのだろうか。彼女たちはとても努力家だった。

この言葉を聞いて、宗拙に何かしら感じて欲しいくらいだったが、とうの彼は、そんな僕の思いなど全く知らぬらしく、「奇特だねェ」と小馬鹿にしている。

「しかし、いくら何でもショボ過ぎねェか？　仮にも天下の妖怪皿かぞえがやることとしてはよ」

宗拙は何故か不満げだ。同じ妖怪として、お菊の行動に物足りなさを感じているのだろうか。

「そちらの方は、随分とお詳しいようですね」

番町は少しだけ眉を寄せ、宗拙に視線を向ける。

「ああ、いやまあ……」

「そりゃあそうさ」

宗拙は顎を上げ、胸を張った。

「詳しいだけじゃ無ェぞ。ここを探し当てたのだって俺の力があればこそなんだから」

「お、おい、宗拙」

「え？ お便りをお送りしたから、来て頂いたわけじゃないんですか？」

「いや、そうです。そうなんですが、細かな場所まで分からなかったというだけの話で」

話を合わせろと合図をしたのは宗拙なのに、これでは自ら正体をばらしてしまうようなものだ。

「ああ……なるほど、そう言うことですか」

番町は小さく頷いた。何とか誤魔化せただろうか。

僕らが妖怪を退治して回っていると知ってしまったら、どうなるか分かったものじゃない。

「ちなみに、どうやって……？」

「匂いさ。俺は鼻が利くんだ」

番町の問いに、宗拙は即座に答え、自慢げに自分の鼻を触ってみせる。

「匂い……ですか？」

「昨晩お会いした方の匂いを覚えていたと、そういう訳です」

「この部屋もかなり匂うぜ。墓場の匂いのような」

「は、墓場？」

番町の右隣に座っている女性が目を丸くし、碓井がくんくんと袖に鼻を近づけた。

「あの、これは……こちらにいる野尻《のじり》さんが作ったオリジナルの菊の香水なんです」

「あ、そうなんですね。いや、これは、すみません」

野尻と呼ばれた女性は今にも泣き出しそうになっている。自分の作った香水が墓場の匂いだと言われてしまったら、それはそうなるかもしれない。

「もちろん、私たちにも最終手段はあるんです。ありますが、なるべくなら穏便にことを済ませられればと……」

「その、最終手段というのは、もしかして」

「はい」

番町は具体的には答えず、ただ首肯しただけだったが、それで十分な回答になっていた。彼女たちは歴とした妖怪なのだ。

「しかし、何もそこまでやらなくても良いのでは……」

「まあなァ。井戸なら他にもあるだろう」

宗拙が追従する。

井戸のある場所を守りたいというだけの理由で、わざわざ人間がやるような反対運動をしてみたり、果ては誰かを不幸にするだなんて、いくらなんでも大げさな対応だ。

「すみません、まだお二人のお名前を伺っておりませんでした」

番町に尋ねられ、僕らはそれぞれ「仁谷」「宗拙」と名を名乗る。

「仁谷さん。今現在、ちゃんとした井戸のある家というのはどれくらい残されているか、ご存知ですか？」

「ええと……どうだろう。でもまだありそうな気はしますけど」

「確かに、井戸自体はあるんです。でも、その多くは蓋をされてしまっていて、いまはもう枯れてしまっているか、あるいはポンプなどで汲み上げる形に変わってしまっています」

「なるほど……そうかも」

「それに、井戸があったとしても、そこから更に問題があって……」

番町は困ったように眉を寄せた。周囲のお菊たちがうんうんと頷く。

「最近のお家は、防犯対策をしっかりされたところが多いじゃないですか。カメラが付いていたり、音が鳴ったりだとか……そもそも敷地内に入ることが出来ないケースも多くて」

「え？　妖怪なのに、センサーに引っかかったりするんですか？」

「お恥ずかしながら……」

防犯ブザーが鳴り響いて慌てる妖怪。これでは泥棒と大差ない。

「それと……どうにかお家の中に入れたとしても、さらに問題が」

「まだありますか」

はい、と番町は頷いた。

「昔は、井戸が生活において大切な生命線だったので、私たちが現れても、簡単には壊せなかったんです。でも今は、蛇口を捻れば水が出ます。今の人たちは、私たちが現れたとなったら、簡単に井戸を壊してしまうんです」

全てのお菊たちが沈黙した。

「なるほどな」

宗拙は頷く。

確かに、現代の家庭で井戸は重要ではないし、もし僕が家主だったとしたら、井戸から妖怪が現れると分かった途端埋めてしまう。

彼女たちが青山家の井戸を大切にしていた理由は、そこにあるのだろう。お手伝いさんがいたから、彼女たちも気兼ねなく通うことが出来たのだ。

「あの、どうでしょうか？　工事を中止しては頂けないでしょうか」

当初のおどおどとした雰囲気とは打って変わって、番町は真剣な表情だった。

「ええ……そうですね」

当然だけれど、この件に関して、僕に決定権などありはしない。土地の所有者である青山祐樹が決めることだ。

「とりあえず、関係者と話してみます」

「宜しくお願いします」

お菊たちは深々と頭を下げた。僕も思わずお辞儀をする。

「じゃあ、僕らはこれで……」

早くこの部屋から外に出たかった。彼女たちの眼差しには、僕に多大な期待をしていることがありありと見て取れる。それが怖くなってしまったのだ。

「想像以上にやっかいな事態になってんなァ」

青山家へ戻るや否や、宗拙がそう溢した。

「とりあえず、お菊さんたちの事情を伝えるしかないよね」

「それ言ったとして、工事を取りやめると思うか？　そもそもあの場所は青山家のものなんだから、工事をやめろと伝えるのは筋違いだろ」

「まあ、それは確かに……」

「それに、依頼として引き受けたんだから、事情を伝えて中止して貰うなんてのは、依頼失敗を意味することになるぞ」

「でも、そうしないとお菊さんたちは最終手段に訴えるかも知れないじゃないか」

「だから、やっかいなんだよ」

宗拙は腕を組み、眉を寄せた。

「退治するしか無ェな。あのお菊たちを」

「え？　あの人たちを？」

「このままだと遅かれ早かれ、人に害を為す可能性が高い。相手は大人数だが、こっちを信頼してる。一体ずつ誘《おび》き出してやれば、勝ち目はかなりあるぞ。言っておくが、卑怯だなんて言うなよ？　相手は妖怪なんだからな」

宗拙の提案は、現状では一番最善の策であるかのように感じられた。

しかし、本当にあの人たちを退治するしかないのだろうか。何か他に解決策は無いのだろうか。

お札を貼ってしまえば、恐らく彼女たちは井戸を求めることが無くなるのだろう。

しかし、それは彼女たちの生きがい——妖怪が生きているのかは分からないが——を奪ってしまうことになる。

彼女たちは、そんな罰を受けるような悪いことをしているだろうか？

いや、確かに昔は人間に害を為していたのかも知れないが、しかし、こうして関わってしまうと、どうしても情の様なものが湧いてしまう。

夕日で紅く染まり始めた青山家の庭。木々の影が細長く、傘のように伸びている。

父のことを思い出した。幼稚園の頃、唐傘お化けに出会った時のこと。

「太一はちょっとおかしいかも知れないけど、おかしくない所もあるんだから」

あの日、父は僕にそう言った。

そう。人はだれだって、おかしい所も、おかしくない所もある。妖怪だってそうだろうし、物事においてもそうだ。

それぞれの良いところに目を向ければ、何か解決策が見つかるかも知れない。

お菊さんの良いところ。青山祐樹の良いところ。

それらを繋ぎ合わせれば——。

やってみるしかない、と決意を固める。

○

番町から貰った『全国菊の会』の資料に記載されていた連絡先、それは番町の個人的な電話番号であったようで、電話をすると彼女が出た。

「今後に関する前向きなお話があるんですが、お時間を頂けませんか？」

そう切り出すと、番町はとても明るい口調になり、了承してくれた。

「他の皆も呼びましょうか？」

「ええと……いや、番町さんお一人で大丈夫です。大人数だとちょっと問題があるかも知れませんので」

目的地付近の駅で番町と待ち合わせ、それから喫茶店へ向かう。

宗拙には留守番をして貰っている。彼がいると話が拗《こじ》れてしまいそうな予感がした。ぶうぶうと文句を言っていたけれど、無視をした。

数日前に祐樹と打ち合わせをした喫茶店で、店内にはすでに青山祐樹がやってきていた。

「そちらの人は?」

僕の隣にいる番町を見て、祐樹がそう尋ねてくる。

「初めまして。番町と申します」

番町は丁寧に頭を下げる。

「彼女は、本日ご報告にあたり、必要と判断しましたのでお連れしました」

「はぁ……そうスか」

祐樹は番町の顔をまじまじと見つめる。番町は気まずそうに視線を下げた。

「それで、どうなりました? 退治できました?」

祐樹にそう切り出され、番町が「退治?」と首を傾げたので、僕は慌てて手で制した。

「そちらの方は大丈夫です。ただ、一つ問題が」

「問題ですか?」

「率直に言えば、あの家にある井戸は取り壊さないほうが良いですね」

「え?」

予想外の回答だったのだろう、祐樹は口をぽっかりと開けた。

「井戸って……ああ、庭の端にある井戸?」

どうやら青山は井戸の存在を忘れていたらしい。そんなものなのかも知れない。

「はい。あの井戸です」

「あの井戸が、何か問題なんスか？」

「あの井戸が、問題なんです」

きっぱりと告げると、祐樹は腕組みをしながら首を傾げた。

「それは、呪い的な何かがあるとか、そういうことなんスか？」

「そうですね……呪いとは少し違いますが、あの井戸が特殊な井戸というのは間違いありません」

お菊さんにとって、という意味ではあるが、嘘は吐いていない。

「特殊……と言うと？」

「あの井戸のおかげで、守られていたものがあります。それを取り除いてしまうと、建設されるマンションはおろか青山さん自身にも悪影響を及ぼす可能性が非常に高い——それくらい、あの井戸は重要なものなんです」

祐樹は顔を顰《ひそ》め、ぼやく。

「そんな井戸には見えないんスけど……」

目論見が外れてしまった上に、曰く付きだと言われてしまったのだから無理もない反応だ。

「でも、それをどうにかしてくれるっていうことじゃ？」

「勿論、解決策はあります。その為の提案をさせて貰えないかと思いまして」

「提案？　工事をやめろとか、そういうんじゃないでしょうね」

「いえ、工事はやってもらって大丈夫です」

「でも、井戸を壊すなって言ったじゃないスか」

「はい。なので、井戸を残したまま工事をして貰えないかと……」

「そりゃあ……いや、無理でしょう。まあ一階は住居にはならないけど、井戸なんてあったら邪魔だし」

「ちなみに、一階はどうなる予定なんですか？」

「まあ、入口があって、ポストがあって、ロビーがあって……あとは管理人室とかですかね」

「そこに、井戸を置いて貰うというのはどうです？　管理人の場所なら人目にも触れませんし」

「いやぁ……それはどうかなぁ」

祐樹は再び腕組みをする。考えている素振りは見せているが、否定的な態度であるのは見て取れた。

「管理人も入りたがらないでしょ。そんなおかしい井戸があるなんて嫌な感じだし」

「それなんですけど、青山さんは管理人を捜していましたよね？　業者に委託するとお金が掛かるからと」

「ええ、まあ……」

「その管理を、こちらの番町さんにやって頂くというのはどうでしょうか？」

僕は隣に座っている番町を指した。

「え？　この人に？」

「こちらの番町さんは、長年ハウスキーピング業をされておりまして、いわばその道のプロといっても過言では無いんです」

これも嘘ではない。お菊さんは若くして奉公に出られていたので、家の管理はお手の物だ。ただし、江戸時代のお屋敷限定ではあるが。

「へぇ……」

祐樹が番町に視線を送る。少し目の色が変わったように思えた。

「老舗なんスか？　どれくらい昔から？」

「ああ、私の場合は江戸時代から」

番町がさらりと答える。

「そんなに昔から？　なんて名前の会社なんです？」

「ああ！　彼女はその、個人営業なので社名は無いんです。彼女のお家が代々そういう仕事に従事されていると、そういう話で……」

「はぁ……個人で代々……」

無理やり誤魔化してはみたが、祐樹は首を傾げている。

「そして、彼女は井戸があっても良いと仰ってくれています」

「井戸が無いと駄目です！」

番町は息を荒らげた。

「そ、そうです。むしろ井戸があった方が良いとまで仰られてくれて……」

事前の打ち合わせ不足のせいか、番町は少し暴走気味だ。

案の定、祐樹は再び眉を寄せた。

話を少しずらした方がよさそうだ。

「……ところで、マンションの管理人は費用がかなり掛かるみたいですね。調べたところ、例えば常勤二名だと年間一千万円近く掛かる場合もあるとか」

「ええ、まあ」

「それを、番町さんにお任せすれば、半額でやって頂けると、そういうことになっています」

「え？　半額で？」

祐樹は目を丸くした。信じられない、というよりも、意味が分からないといった表情だ。

「若い女性がコンシェルジュとなれば、入居される女性の方も安心でしょうし、家賃も上げられるんじゃないですか？」

「そりゃまあ、そうかもですけど……しかし何で半額なんです？」

明らかに怪しい話なので、祐樹が疑うのも当然だ。

本来は無料でも構わないという話であったけれど、あまりに胡散臭くなってしまうので、ある程度の料金は発生させた方が良いだろうと判断した。

「実はですね、彼女、いよいよ社員を雇って会社を立ち上げようとしておりまして。その第一歩となる物件を探している所だったんです。なので、言い方が少し悪くなってしまいますが、いわば実績作りといいますか……当然、教育は徹底するので、不備の無いようにはしますが、なにせはじめの一歩なので、料金も勉強しようと、そういうことなんです」

これは完全に出まかせだった。しかし、無理がある内容では無いと思う。妖怪に会社を立ち上げることが出来れば、の話ではあるけれど。

番町も驚いたようで、目をぱちくりとさせていたが、目配せをしてどうにか堪えて貰う。

「仁谷さん、やけに詳しいッスね。営業の人みたい」

祐樹はそう言って苦笑いを浮かべた。

詳しいどころか、僕しか知らないことだ。

「あ、いや、はは」

僕は首をひょこひょこと上下させた。熱が入りすぎてしまったようだ。

「コンシェルジュねぇ……でもなぁ」

祐樹は顎に手を当てる。

どうやら考えてくれてはいるらしい。

「この間、青山さんは、ほとんど素性の分からない僕に管理人を任せようとしてたじゃないですか。僕なんかよりも彼女の方がずっと良いですよ。管理人へ払う費用も、井戸の工事代も浮きます。聞けば、結構大変な作業みたいじゃないですか。井戸を埋めるといっても、水抜きをしたり、ガスを抜いたり、お祓いをして貰ったりと、色々手間もあるようで。それらすべてが、彼女にお願いすれば一気に解決するわけです」

僕は意図的に『彼女にお願いする』と強調し、番町の立場を向上させるように努めた。それにより、もしもこの話に乗らなかったら損をしてしまう、という印象付けが出来るはずだ。また、青山祐樹は、管理費を浮かそうと考えたり、工事前にパーティー会場として貸し出してみたり、軽そうな半面、倹約家たろうとしていることも窺《うかが》える。それらが上手く作用すれば、僕のこの提案も飲んでくれるのではないかと踏んだ。

「ううん……」

祐樹は悩みながら、ちらちらと番町に視線を送った。

「彼女……信頼しても大丈夫なんスよね？」

「ええ、それはもう」

「そうですか……」

「精一杯やります！」番町は大きく頷いた。

「まあ、すぐには決められないことだと思いますし、もっと彼女から話を聞いて貰った方が良いかもしれませんし……」

そう伝えたが、祐樹は目を閉じ、腕組みをしたまま唸っている。

やれるだけのことはやった——だろう。

けれど、やはり断られてしまう可能性も大いにある。

その時はどうするか、お菊さんたちを言いくるめられるのか、それとも宗拙の言うように、退治しなければならないのか、考えなければいけない。

僕もまた、どうするべきなのか考えていると、

「分かりました。井戸を残す形で工事しましょう。管理は彼女にお願いします」

祐樹がそう口にした。

「え？　本当に良いんですか？」

決断の速さに、思わず聞き返してしまう。

「半額で済むっていうのはありがたい話なんで」

「まあ、そうですけれど……」

「ただ、一つ条件が」

祐樹は指を立てる。

「何でしょう？　出来ることであれば……」

「もし、彼女に任せて何か問題が起こった場合、その責任は仁谷さんに負って頂く

と、そういう契約であればオッケーです」

「え？　責任ですか……」

「問題無いんですよね？　ならこの契約も問題無い筈ですけど」

「ああ……いや」

　こんなことになるとは露ほども考えていなかった。

「まあ、はい、問題は起きません……」

　こちらから提案してしまった手前、自信が無いとは言えない。

　改めて番町に視線を送ると、彼女はにっこりと笑顔を返した。

　こうして見る限りは、害の無さそうな、大人しい女性だ。けれど、彼女は歴とした妖怪であり、人間をおかしくさせる力を持っていると言う。言葉の端々からも、その恐ろしさを感じる瞬間が確かにあった。

　本当に大丈夫なんだろうか、と心配になってしまう。

「問題……起きませんよね？」

　そう番町に問うてみた。すると番町は満面の笑みで頷き返す。

「井戸さえあれば、大丈夫です！」

　その言葉を付け足され、僕は思わずため息を吐いた。

○

青山家の周囲にはカバーが張られ、本格的な工事に入るようだ。来年の秋頃には入居者を募集することになるらしい。

祐樹に見せてもらった完成予想図によると、一階の管理人室の中にしっかりと井戸が記されていた。井戸の周囲に土を盛り、小さく木々を植えて坪庭のようにするらしい。どんなものでもお洒落にする方法はあるのだなと感心してしまった。

「何か他に方法は無かったのか？」

宗拙はぶつぶつと文句を言っている。

「双方にとって良いこともあったし、謝礼も半分貰えたんだから」

当初の依頼内容とは違った結果となってしまったので仕方が無いことだ。本来ならば、貰えなくても文句は言えないのだ。

「俺たちは妖怪退治なんだぞ。これじゃ職業斡旋業者みたいじゃねえか」

宗拙の言うことは尤もだけれど、僕としては満足している。このような形で自分の能力を活かすことが出来るのなら――うん、悪くはない力だ。

「でもお前、あんな契約までさせられて大丈夫なのか？」

お菊さんたちが何かしら問題を起こし、青山祐樹が損害を被ることになった場合、その損害を僕が負担する——簡単に言えば、そんな契約を結ばされた。祐樹が用意した契約書にはもっとややこしい言葉が書かれていたけれど、正直なところ良く分かっていなかった。

「まあ……うん、仕方ないよね」

正直に言えば、契約書に判を押すときは、かなり怖じ気づいてしまった。

ひょっとしたら祐樹は、番町たちが何者なのか感づいたのかも知れない。だからこのような契約を持ち出し、保険を掛けたのだろうか。

「お菊たちが悪さしないように、しっかりと管理していくしかねェな」

宗拙の言うことはもっともだ。本当に彼女たちにマンションの管理人が務まるのか、人間に危害を加えないのか、見ていかなくてはならないだろう。

「そう言えば、今日ちょっとしたお祝いをするって言ってたけど……宗拙も来る？」

番町たちからすれば、井戸を残すために幟を立てたり署名を集めたりといった活動がようやく実を結んだのだ。その喜びはひとしおなのだろう。管理を任されるという話も、満場一致で賛成したらしく、交代制でマンションの管理に当たるそうだ。

「何だよそれ。俺呼ばれて無ェぞ」

「だから、誘ったでしょ。今」

「そういうのは誘ったって言わねェんだよ！」

再びぶつぶつと文句を言いながらも、宗拙は僕の後に付いてきた。

青山家を離れ、駅前を通り過ぎ、区民センターへと向かう。『全国菊の会』の名で先日と同じ会議室が押さえられており、中に入るとお菊さんたちが揃っていた。

「あ、仁谷さん、どうも！」

番町が丁寧に頭を下げる。それぞれの机にはプリントが配られており、見たところお祝いという雰囲気ではなかった。

「本当はお祝いパーティーをするつもりだったんですけど……ちょっと、不安になってしまって、マンション管理に関する資料をまとめて、皆で勉強をしようと思いまして」

番町はそう言って照れたように笑った。

「良いことだと思います」

かなりやる気になっているようだ。自分で提案しておいて言うことではないが、この調子ならば、とても良い管理人になるのではないかなと思う。

「頼むぜアンタら。迷惑だけは掛けてくれるなよ」

宗拙が釘を刺す。努力します、と番町から返事があり、方々から「頑張りましょう」と声が上がった。

「仁谷さん」

番町が僕らの目の前に立つ。

「改めてお礼を言わせて下さい。私たちお菊の為に骨を折って下さって、本当にありがとうございました」

「いやいや、そんな……」

「私たち、頑張りますので！」

「頑張りすぎて皿を割らないようにな」

宗拙が冷やかし、番町は「そうですね！」と笑顔で頷いた。

「あ、僕からも一つ……」

ついでに、気になっていることを尋ねてみる。

「番町さんたちに管理して頂くことが決まったわけですが……その、泣かれる予定はお有りになるのでしょうか？」

お菊たちの願望は、ただ井戸があれば、それで終わりというものでは無い。井戸の傍で思い切り泣きたいというものだった。しかし、管理室から女性の泣き声が聞こえてしまっては、住人から苦情が出るのは間違いないだろう。

「それに関しては、いくつか対応策を考えていまして……」

番町の合図で、碓井が一枚の用紙をこちらに手渡す。

相変わらずのポップなフォントで対策案が記されていた。

「まず、井戸の内側に梯子を下ろしまして、上に蓋をしてもらい、それから井戸の中で泣けば声は漏れないのではないかと」

「それ、良いんですか？　そんなので良いんですか？」

その姿を想像するだけで切なくなってしまう。

「ただ、これでも完全に漏れないかは分かりませんので、青山さんに一つ提案してみようかと思っていることが」

「提案？」

「その紙の二つ目に書かれているんですが」

番町に促されるように、僕は用紙に目を落とした。

「涙活です」

確かに、そう書いてある。丁寧に単語の説明まで記されていた。

「涙活とは、意識的に泣くことでストレスを解消する行為……涙を流し、心のデトックスを図る活動です……」

「近年注目されつつあるようで、女性にとても人気があるんですよ」

「はぁ……デトックスですか。妖怪が」

これまた似合わない単語同士だ。

「井戸を取り込む形になっているからか、管理室を少し大きく設計して頂いているんです。なので、住人の方数名程度なら集められる空間が取れるのではと思いまして。椅子を並べて色々なお話を聞いたり、壁にスクリーンを掛けて映画を鑑賞したり、さまざまな涙活が行えると思うんです！」

番町は両の手を握り込み熱弁する。

「はあ……」

確かに、泣いてスッキリすることはある。そういった行為を推奨する活動が流行りそうな世の中である気もする。

「管理サービスの一環として受け入れて頂けないかと、これから青山さんに打診しようと考えています」

「なるほど……」

青山祐樹がどんな回答をするのか分からないが、案外賛成してくれるかも知れない。

番町たちが妖怪であることに気が付いていなければ、の話だが。

「なので、涙活に関しても勉強をしなければいけないんです。折角来て頂いたのに申し訳ないのですが……」

「いえ、別に。むしろ頑張っている姿が見られて良かったです」

「あ、でも、何もないのも寂しいと思ったので、クッキーを作って来たんです。菊の味のクッキー」

番町はうきうきとした表情で鞄から袋を取り出した。

「菊の味、ですか」

そちらの活動も、続けていくようだ。

「とりあえず、座って下さい。お茶しかないですが、ささやかなお祝いをしましょう」

番町に促され、僕と宗拙は先と同じ場所に腰掛ける。

「でも、どうだったかな。人数分しか作ってこなかったような……」

番町は首を傾げながら、僕らの右隣のテーブルに一枚ずつクッキーを置いていく。

「そうだ、ニタニタ。早速だが、次の依頼があるぜ」

「えぇ……本当に？　それ、どこから仕入れてきてるの？」

「俺ぐらいになると、特別なツテがあるんだよ」

宗拙はだらしなく笑う。一度、彼の交友関係についても色々と聞き出しておいた方が良さそうだ。

「次の相手は恐らく……飛縁魔だ」

「ひのえんま？」

そんな名前は聞いたことが無い。どんな相手なのか想像も付かなかった。

「こいつは厄介だぞ。ちょっと作戦を考える必要があるな。あと、恰好も何とかしねぇと……お前、女の知り合いとかいるか？」

「女性の知り合い？」

「いねェだろうなぁ」

僕の答えを聞かず、宗拙はため息を吐き出した。

「お菊たちを使うわけにもいかねェし、どうするかな」

宗拙は腕組みをして唸り始めた。

どうやらまた、妖怪とひと悶着ありそうだ。大事にならなければ良いのだけれど。

「ああ、やっぱり」

僕の机にクッキーを置いた番町は、宗拙の目の前でがっくりと項垂れた。

「一枚足りない」

「何なんだよ！　普通こういうのは客から置くだろ！」

宗拙の声が会議室にこだました。

《参考資料》

『日本の皿屋敷伝説』 伊藤篤 著 海鳥社
『狂骨の夢』 京極夏彦 著 講談社文庫

文庫版あとがき

この度は文庫版『はるなつふゆと七福神』をお手に取って下さり、ありがとうございます。著者の賽助と申します。

この小説は二〇一四年、ディスカヴァー・トゥエンティワン社により開催された『本のサナギ賞』にて優秀賞を頂いた作品であり、翌二〇一五年、処女作として世に出た作品でもあります。

そんな小説が早くも文庫化する——担当から聞いた時、僕は驚きました。小説の文庫化と言えば、もっとずっと長い時間を要するもので、読んでくださった方のみならず、著者本人も「そう言えばあったなぁ、懐かしいなぁ」と、あの頃よりも皺の増えた手を摩りながら。しみじみと感じるものだと思っていたからです。

しかし、発売されてからまだ二年と経過していないにもかかわらず、早くも文庫化すると言うじゃないですか。

「大丈夫なのかなあ、まだ早すぎるんじゃないかなあ」

まるで僕は、十代の娘から「もう嫁に行く」と言い出された時の父親の如く、おろおろとしてしまいました。

ただ、では文庫化するタイミングはいつなら宜しいのか、と問われると、答えに窮してしまいます。これが娘ならば「もっと成長するまで待っても良いじゃないか」となあなあにするものですが、如何せん小説は成長しません。書き上げて、本になってしまったならば、それ以上面白くなることは無いのです。ワインの如く、勝手に面白く熟成されてくれれば良いのですが、大筋が変わることは無い。ひょっとすると世の中に変化があって、再評価されるなんてことはあるかも知れないのですが、本自体は変わらない。

永遠にあの頃のままであり続けます。

これが良いことなのか、悪いことなのか、今の僕にはその判断がつきません。

文庫化に際し、少し調べてみたのですが、どうやら世の中的には『およそ三年』で文庫化するのが通例となっているようです。ただ、一年とちょっとで文庫化される例もあり、その場合は例えば映画化するなど、世の中的に広く取り扱われるべきだと判断される特別な理由があるようです。

ではこの『はるなつふゆと七福神』、もしや映画化するのか？　と考えてしまう方も居られるかも知れませんが、そんな話はちっとも無い。一個も無い。すこぶる無い。

たまたま、文庫になるという話が舞い込んできただけのことです。

しかしこれは、とてもありがたいお話でした。

自分の書いた作品が文庫化される——それは小説家の一つの夢でもあります。

この機を逃してしまうと、ひょっとすると一生この作品は文庫化しないのかも知れません。

それはとても悲しいことです。

先ほど僕は『文庫化』に対して『結婚をすると言い出す娘』の喩えを持ち出しました。いつまでも嫁に行かない娘は、僕としてはずっと家に居て貰って構いません。ですが、出版した本は、いつかは文庫化して欲しい。なんならいっそのこと我が娘も文庫化してしまいたい。そしていつまでも書棚に並べておきたい——おそらく全国のお父さん共通の認識でしょう。今のところ娘どころか嫁も居りませんが、多分そうです。

悩んだ結果、文庫化することは、それ自体は良いことなのだと、そういう結論に達し、僕は担当に了承の返事を出しました。何より「またあとがきが書けるじゃないか！」という興奮を抑えることが出来ませんでした。僕は小説の最後にあとがきを書く「あとがき書き」を目指していたのですから。

前回と同様、イラストレーターのゆうこさんにカバーイラストを担当して頂き、僕は娘の支度金とばかりに短編小説を添え、こうして『文庫版』として世に出ることとなりました。

今さらな話になりますが、僕がこの作品の初稿を書き上げたのは二〇〇九年のことですから、実のところ八年間経っています。それから幾度も変化を続けてきたわけではありますが、とても長い付き合いです。

そんな作品が、賞を頂き、本となり、文庫化もされる。

小説家冥利に尽きるとは、このことでしょう。

この喜びを噛みしめつつ、今後もまた、皆様に楽しんで頂けるような小説を書いていけたらと思っておりますので、どうかお付き合い頂ければ幸いです。

文庫化にあたり、ご協力下さいましたディスカヴァー・トゥエンティワンの林さん、前作に引き続きカバーデザインを担当して下さったｂｏｏｋｗａｌｌの松さん・築地さん、素敵なイラストを描いて下さったイラストレーターのゆうこさん、並びに、出版に関わって下さった全ての皆様と、ご購入頂いた全ての皆様に、厚く御礼申し上げます。

賽助

本書は二〇一五年に小社より刊行された著作を改稿し、
書き下ろしの短編を加え、文庫化したものです。

はるなつふゆと七福神（オーディションカバー版）
賽助

発行日　2020年　12月1日　第1刷

Discover

Illustrator　三木健太郎
Format Designer　bookwall

Publication　株式会社ディスカヴァー・トゥエンティワン
〒102-0093　東京都千代田区平河町2-16-1
平河町森タワー11F
TEL　03-3237-8321（代表）
FAX　03-3237-8323
http://www.d21.co.jp

Publisher　谷口奈緒美
Editor　林拓馬

Proofreader　株式会社鷗来堂
DTP　アーティザンカンパニー株式会社
Printing　株式会社暁印刷

定価はカバーに表示してあります。本書の無断転載・複写は、著作権法上での例外を除き禁じられています。インターネット、モバイル等の電子メディアにおける無断転載ならびに第三者によるスキャンやデジタル化もこれに準じます。乱丁・落丁本は小社「不良品交換係」までお送りください。送料小社負担にてお取り換えいたします。

ISBN978-4-7993-2697-8
Saisuke, 2015,2020, Printed in Japan.